君に恋をするなんて、ありえないはずだった

課外授業は終わらない

筏田かつら

宝島社
文庫

宝島社

Contents

【登場人物】Characters

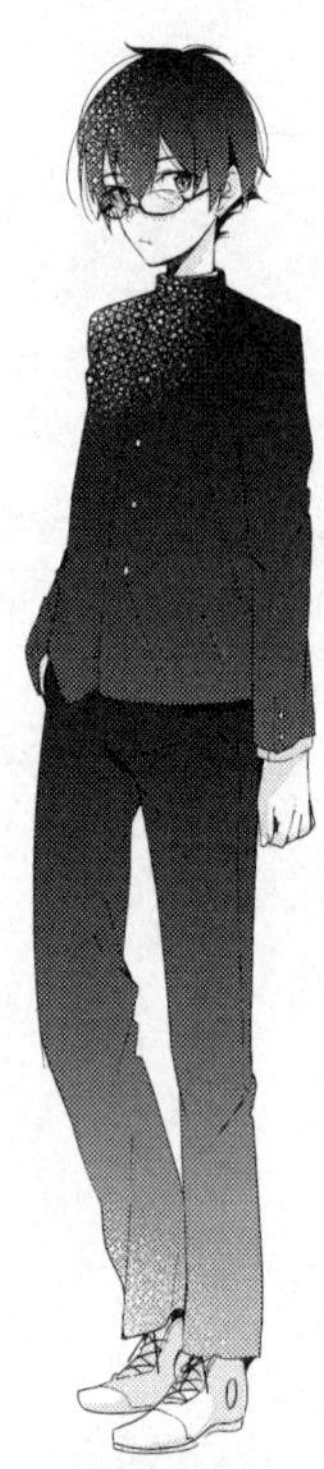

Ema Kitaoka

北岡恵麻

恵まれた容姿で、学校でも目立つ美少女。靖貴のクラスメイト。靖貴とはほぼ関わりがなかったが、合宿で助けられてから、徐々に彼を意識し出す。

Yasuki Iijima

飯島靖貴

南総高校三年。男ばかりの理系クラスの中でもとりわけ目立たない地味男子。郷土地理研究会という文化部に所属。恵麻のことが苦手だったが……。

Katsuya Saito

さい とう かつ や
斉藤克也

靖貴の友人。同じ中学校出身で、仲が良い。オタクで、明るい性格。男子の友人は多いが、女子からは敬遠されがち。

Kumiko Isogai

いそ がい く み こ
磯貝久美子

恵麻の小学校時代からの友人。私立の女子高に通う。電車の中で恵麻と一緒にいる靖貴と偶然出会い、同じバンドのファンであることから親交が始まる。

Kokona Otsuka

おお つか ここ な
大塚心菜

靖貴と恵麻のクラスメイト。恵麻と仲が良い。天真爛漫な愛されキャラだが、たまに周囲を混乱させることがある。

Shin Kimura

き むら しん
木村晋

恵麻の幼馴染。軽音部所属で、見た目も人当たりも良く人気がある。幼い頃に恵麻に泣かされた経験から、高校では距離をとっていた。

Mikiko Iijima

いい じま み き こ
飯島美貴子

靖貴の四歳年が離れた姉。一見、清楚なお嬢さん。南総高校の卒業生で、都内の薬科大に通っている。

Minami Tamura

た むら
田村ななみ

靖貴と克也とは同じ中学出身で、くされ縁。学業優秀で筋トレが趣味の、文武両道な才女。性格はドライ。

君に恋をするなんて、ありえないはずだった
課外授業は終わらない
I was supposed to never fall in love with you.
筏田かつら
Katsura Ikada

宝島社

イラスト　U35
デザイン　菊池 祐（ライラック）

（元）三年Ｆ組出席番号三十九番
吉田由希の証言

ドリンクが全員に行き渡ると、アルコールではないけれどとりあえず「かんぱい」とグラスを持ち上げた。

今日は三月二十二日。私たちは今月の初めに同じ高校、同じ三年Ｆ組を卒業した者だ。先日ようやくクラスの女子全員の進路が決まったので、今日のお昼からお別れ会と称してカラオケ大会が開かれた。そして、いまはそれの二次会としてファミレスにやって来たところだ。

女子がもともと少ないクラスとあって、結束はわりと固い。ファミレスにはわたくし吉田以下、高木、小松、大塚、安藤、篠原、平井の七名で来た。同じクラスの持田さんは彼氏とお出かけとかで最初から欠席、北岡さんはちょっと疲れてるとかで二次会には参加せずにカラオケ屋さんで別れた。

浪人する子もいるのであまり進路の話題にはならなかったけれど、それでも一年間同じクラスで過ごしてきた仲間だ。話すことはたんまりとある。

思い出話なんかに花を咲かせ、だいたい入店して一時間たったところで「そういえば」と私の隣に座っていたあややんこと高木彩乃ちゃんが尋ねてきた。

「……さっきさ、内田くんと一緒に恐ろしく仕上がった『気分少々⇊』を披露して帰ってったのって、飯島くんだよね」

さっきみんなでカラオケしてたとき、偶然同じクラスの男子たちもおんなじカラオケ屋さんでお別れ会をしてたみたいで、途中で何組かの男子がうちの部屋にゲストとして遊びに来ていた。

その中で、一番のインパクトを残したのが前述の内田・飯島ペアだったことを思い出し、首を少し捻ってからゆっくりと頷いた。

「たぶん……。私も一瞬『えっ、だれ？』って思った」

「意外にテンション高い曲歌うよね……」

「うん……。何かイメージ変わったかも……」

飯島くんってのは、私も在学中はたまーに喋る機会があったけど、ものすごくおとなしくて印象に残らないタイプの男の子だった。良くも悪くも目立たない。「オタクの斉藤くんといつも一緒にいる人」っていう認識でようやく覚えたぐらいだ。

私はその控えめな感じが嫌いではなかったのだけど、みんなそんなこと言わないし、うっかり褒めでもしたら妙な噂が立ちそうで、特にそのことは口にせず黙っておいた。

そんな飯島くんが、お調子者の内田くんとノリノリの曲を軽快に歌いこなしてたもんだから、もうキャラ崩壊もいいところだ。

　それに……

「なんか、見た目とかも普通にオシャレだったね」

もっさりしてた髪型がちょっとスッキリしてて、眼鏡も前のおじさんっぽいのと違ってて。服も制服のときは分からなかったけど結構センスはよかったみたいで、なんだか小綺麗なジーンズとシャツが結構似合っていた。全体的に清潔感があってなかなかのもんだったと思う。

　私は、同じクラスならイケメン風の安野（あんの）くんとかのファンだったけど、もし飯島くんの本体があんなだって前もって知ってたら、もっともっと私の中で上位にランクインしてたかもしれない。

　しみじみと言うと、前にいたこまっちゃん（小松さん。ちょっと斜（しゃ）に構えたクールな女の子だ）が同意した。

「ねー。私もびっくりしたよ。『この人、こんなにチャラかった⁉』って軽くビビったわ」

　チャラい……とまではいかないと思うけど、うん……。

　すると、ちょっと離れてたところで話してた大塚心菜（ここな）ちゃんが何故か「えーっ？」

と食いついてきた。

「うちなんか前から飯島くんいいなって思ってたよー。みんな今さらすぎんよー」

その言葉にほぼ全員が「えっ？」と目を剥いた。

心菜ちゃんは、その向かいにいる安藤珠里ちゃんとかと一緒で、いまこの場にはいない北岡さんや持田さんと仲が良い。

あの二人みたいに髪の毛の色とかは変えてないものの、どちらかというと流行に敏感で交友関係が派手なグループの子だ。

だから地味でイケてない飯島くんなんかのことは、眼中に入らないと思っていたから、まさかの展開だ。

心菜ちゃんは、その小動物っぽいくりくりしたお目々を細めて言った。

「だってあの人超やさしーじゃん。うち二年のとき、英語の授業中にグループ課題だされて、でもうちんとこだけ全然終わんなくてさ。『やば、どーしよー』ってテンパってたら同じ班だった飯島くんが『まだ時間あるから、気にしなくていいよ』って言ってちょっと手伝ってくれたんだ。他の男子なんか、イライラするだけで何もしてくんなかったよ」

飯島くんなら確かにそういうことしそうだな、と思った。いいなぁ、心菜ちゃん。

私も飯島くんに親切にされたかったよ。

「あんときトモくんと付き合ってなかったらうちコロっといってたかもー」

そうニコニコと語る心菜ちゃんに、友達の珠里ちゃんはなんか微妙な顔。

「それでさ」と話題は突然のブレイクを果たした飯島くんについてが続く。前から
「悪くないかも」って思ってた私はすこーし複雑な気分だ。

「盗撮してるかもって、あれ結局デマだったんでしょ」

これは篠原。私の幼馴染だ。なかなかの情報通で、飯島くんが卒業するちょっと前に立てられた不名誉な噂についての顚末も、私は篠原から聞いた。

どうやら完全なるデマで、「Ｇ組の木村くんが突然キレて首謀者のところに怒鳴り込みに行った」で手打ちになったらしい。でも、なんで木村くんが飯島くんをかばったのかまでは結局よく分かんなかったみたい。

「うん。そんなことするわけないよねぇ。あの人女の子苦手っぽいし」

これは平井さん。あれ、でもその噂がでたとき、「やっぱあの人キモいと思ってた」とか言ってなかったっけ？　まぁいいや、ちゃんと聞いた訳じゃないし……

「だいいち、周りに斉藤とか男の子ばっかなのに、どうやってするんだって話だよね」

これは最初のほうに出てきたこまっちゃん。いや、方法はいくらでもあると思うけど。

でもこの子はもともと斉藤くんと仲いいから、その友達のことは信用してるんだろう。基本的に飯島くんの味方みたいだ。ていうか、私なんかは彼がそういう怪しい行動してるとこなんか見たことないし、噂を聞いても最初から全然ピンと来てなかったんだよね。

すると、あややんがここぞとばかりに身を乗り出して、ちょっと小声になって言った。

「あの、そういえば、飯島くんって北岡さんと密かに仲いいって小耳にはさんだんだけど……」

そうそう、私もそれ気になってた！　私もちょっと前に部活の後輩に「先輩のクラスの北岡さんって、眼鏡のじみーな感じの人と付き合ってません？」って聞かれた。何でも、後輩が夜遅く電車に乗ったら、その二人が超仲良さそうに隣り合って喋ってたんだって（そのとき後輩は私服だったらしい）。

その子は北岡さんのことは目立つから名前を知ってたけど、男の子の方はよく知らない人だったとのことだ。でも級章に「３－Ｆ」って書いてあったっていうのと、眼鏡、黒リュック、頭もさもさ、アヒル口って特徴は飯島くんぐらいしか当てはまらない。

それでも、私は自分で目撃したわけでもないし、二人が教室内で喋ってるのなんて見たことないから「ただの偶然じゃないの？」って思いこんでた。

あややんの質問に、北岡さんと仲のいい珠里ちゃんが語気を強めて反論した。

「あ、あれウソみたいよ。むしろ恵麻は飯島くんのこと苦手みたい。たまたま、予備校あがりに一緒になって帰ってただけだって」

「へー、そうなんだ」

だよね。よかった。やっぱ飯島くんと北岡さんじゃどう考えても釣り合わないし、それはないよね。

周りの子も似たような思いなのか
「まぁ、そうだろうねー」

「北岡さんじゃねぇ……」

と、どちらかというと安心したっぽい感じ。北岡さんは悪い人じゃないんだけどそんなに愛想がよくないから、女子の中には彼女のことをあんまり良く思ってない子もいる。私は「あんな顔に生まれたかったなぁ」と思いながら見ているぐらいで、さほど絡まないのでその辺は何とも思わない。

　すると、心菜ちゃんがあっけらかんと言い放った。

「あれだよね、あんまりにも飯島くんがなびかなさすぎて恵麻キレたんだろうねー」

　そ、それは……。いくらなんでも北岡さんにもし知られたら怒られるのでは……

まぁ、心菜ちゃんは天然でちっちゃくて、マスコット的扱いの子だから、この発言もギリギリ許されるのかな？　珠里ちゃんはやっぱり複雑そうな表情してるけど。ああ、あとでこの子たちに諍いが起こりませんように。

「あの人、結局どこの大学いくんだっけ」

　こまっちゃんが呟くと、「霞城大学」と情報通の篠原が答えた。初耳だ。

　確か寒いところにある国立大学だ。ずいぶん離れたところに行っちゃうんだな、と少し寂しく思っていると、こまっちゃんも「えっ⁉」とショックを受けたようだ。

「マジで……？　遠距離かぁ。キツいなぁ……」

「キツいって。まだ付き合ってもいないのに」

　篠原のツッコミに、こまっちゃんが少し芝居がかったような節回しで言った。

「うーん。でもさ、私的には斉藤はナシだけど、飯島くんは大いにアリだったんだよね。あの細い腰がたまらんよ」

さすがこまっちゃん。視点がマニアックだ。

まぁこんな風に言うってことは、真剣に好きとかってよりも、漫画の中の人に萌えるのと似たような感じなのかな。

我々グループの妙な会話に、またもや大塚心菜嬢がずいっと身を乗り出して絡んできた。

「えっ、でも斉藤くんも結構いい人だよ？　話面白いし、性格そんなにウザくないし、意外と人に気ぃつかうし。うち嫌いじゃないよ。ああいうタイプ」

可愛い顔して、意外に雑食なのかな、この子……。斉藤くんは見た目的には全然よくない……ってあんまり人のこと悪く言っちゃいけないな、うん。

私が呆気にとられていると、話題の主役はいつのまにか斉藤くんにすり替わっていた。

「でも斉藤くんって彼女持ちみたいだけど……」

「えーっ、マジで？」

「うん。だって自分でそう言ってたよ」

「それってエアとかじゃなくて？」

「いや、たぶんリアル。写メ見してもらったから」

「うそー、うち結構ショックー……」

「……っていうか、あの人B組の田村さんとはどうなってんの？」

「ないない(笑)。田村さん『私は自分を倒せる男にしか興味ない』とか『好みのタイプは曹操孟徳』とかって公言してるから」

「じゃ、斉藤くんじゃ無理だねー」

……こうして、コロコロと話題は変わっていく。

高校生活最後の最後の思い出の時間は、賑やかに、楽しく、そしてちょっぴり寂しい気持ちと共に過ぎて行ったのだった。

私は、この高校に入って、このクラスになれて、そんなに確証は持てないけど、たぶんよかったんじゃないかなぁ。

Walk Through the Rain

その頃、彼はもともと悪かった視力が受験勉強のせいでさらに落ちたことに気づき、彼女は入ったばかりの高校の伝統あるダサい制服に辟易(へきえき)していた。

二人は完全に赤の他人で、これからもずっとそうあり続けるだろう。そう思っていた頃のお話――


「じゃ、式が終わったら母さん適当に先帰るから、あなた電車で友達と帰ってきなさいね」

近隣のコインパーキングに車を駐め、学校の門をくぐるなり母親はそう言って靖貴(やすき)と別れた。

入試の日以来久々に訪れた学校。今日から靖貴はここの一年生だ。今朝は入学式に出席する母親と共に車に乗ってやってきた。

この南総(なんそう)高校は、創立より百年以上経った県内有数の歴史を誇る学校で、数年前にスーパーサイエンスなんちゃらというのに指定されたことのある進学校でもある。

　ただ、少子化の影響か、入試のボーダーラインは年度によって上下が激しい。中学時代「実技以外オール4」の靖貴でも合格者の中では中くらいの成績であることより、今年は比較的簡単だったのかもしれない。

　靖貴としてもそんなにこの高校に憧れを抱いていた訳ではないが、それでも新しい仲間との出会いやこれから始まる未知の生活への期待に、学生服の下の薄い胸をほんの少し躍らせていた。


　よく晴れた空の下、案内板に従い校舎の方へと向かう。昇降口の手前の広場に白いパネルが設置されており、前に人だかりができている。おそらく、クラス分けの発表かなにかだろう。そう踏んでパネルに近づいて見ると、果たしてその通りだった。

　氏名はクラス毎に五十音順になっている。「飯島」という名字を持つ靖貴は、E組の五番目に自分の名前を発見できた。自分の前には「阿嘉（あか）」「秋田（あきた）」「新井（あらい）」「安野」と「あ」のつく名字が四人。

（ずいぶん偏（かたよ）ってんなぁ……）

　そんなことを思いながら、「そういや、他に知ってるヤツは同じクラスにいるのかな」と再びE組の掲示に目を走らせたときだった。

どん、と横に並ぼうとしてきた人物と肩がぶつかった。どうやら靖貴の立っていた場所が邪魔だったようだ。

「あ、すみません」

靖貴が謝るとぶつかってきた人物がこちらを振り向いた。幾分自分より背の低い、ブレザーを着た生徒。男子の制服は学ランだからもちろん女子だ。そして彼女と目が合った途端、靖貴は自分の顔が熱く赤くなっていくのを感じた。

さらさらの長い髪、色白の小さな顔、それに反比例した大きな瞳、少しぽってりした艶(つや)のある薄紅の唇。

(……か……可愛い)

同じ中学ではない。今まで一度も会ったことすらない。もしこんな子と知り合いだったら、いくら女の子にあまり興味のない自分でもきっと覚えているはずだ。

女の子が不可解そうに首を傾げた。その動作で、靖貴はようやく我に返った。

「……いや、ちょっと見づらかっただけだから」

女の子はそっけなく呟いてから、真新しい制服のスカートの裾(すそ)を翻(ひるがえ)して校舎の中へと向かってしまった。

（あの子、何て名前なんだろう――）

ぼんやりとその後ろ姿を目で追いながら考えていると、「あっ、飯島くん！」と後方から名前を呼ばれた。

振り向くと立っていたのは、同じ中学出身の斉藤克也だった。中学三年間は違うクラスだったが、友達の友達なので何度か話したことがある。学年中が知っていたほどの重度のオタク。確か「ペヤング」というあだ名をつけられていたが、靖貴はそう呼ぶほどの仲ではなかった。

克也はにこにことして靖貴に近づくと、その手を取ってはしゃいでみせた。

「同じクラスだね！　うちの中学出身の男って少ないから、すげーうれしい!!　これからよろしくねー!!」

どうやら、克也は自分と一緒のクラスになったことを本気で喜んでいる。靖貴にとっても知り合いが近くにいるのはとても心強かった。

「こちらこそよろしく」と頭を下げると、早速克也と並んで一年E組の教室へと向かった。

「ねぇねぇ。飯島くんって『やすき』っていうんだよね。やっさんって呼んでいい？」

「……別にいいよ」

「ありがとー！　それじゃ、俺のことも呼び捨てでいいからさ」

そんな会話をかわしつつ、便所サンダルのような上履きに履き替えながら、靖貴はまた思い出していた。

さっき、自分とぶつかった女の子。どこのクラスなんだろうか。やっぱりちょっと気になるし、なんだかまだドキドキしている。別にこんなんで惚れちゃったとかじゃないけど、ただあの子があんまり可愛すぎたのと、一瞬だけど体が触れたこと。——それと春の陽気のせいでだいぶ気分が緩んでいるみたいだ。

だから、二階にある自分の教室に入ったときにはまたびっくりした。

あの女の子が同じ教室にいた。しかも、出席番号順に指示された席次表に従って座ると、彼女は自分の隣の席だった。

集合時間になり担任が教室に現れ、式の前に簡単な点呼が行われた。

「北岡恵麻」

「はい」

彼女は呼ばれた名前に硬い声で返事をした。少し緊張してるのか、それとももともとと愛想がないのか。

「エマ」か。外国人みたいな名前だな。彼女の親御さんはどんな由来でこの名をつけたのだろうか。

おそらく尋ねて確かめる機会はないだろう。だけど、それを想像するのは楽しくて、気がつけば全員の点呼は終わっていて、他のクラスメイトの名前などは全然記憶に残らなかった。

式は昼前には終わり、靖貴は母親の仰せの通り友達（克也）と帰ることにした。学校の最寄り駅のホームで電車を待っていると、やはり同じ中学出身の村上（むらかみ）という男子が自分らを見つけて話しかけてきた。

村上は中学時代サッカー部の中心選手として活躍していた。以前は自分のような地味グループとはさほど仲良くなかったが、同じ学校を受ける仲間として受験と前後してちょこちょこと話すようになった。

学校の印象などを語り合っているうちに、電車がホームに滑り込んできた。ドアが開いて車内に乗り込むと、村上が思い出したように呟いた。

「そういえば、飯島と斉藤ってE組なんだよな」

うん、と二人で頷くと、村上がここぞとばかりに食いついてきた。

「じゃ、同じクラスに北岡さんっている？」

突然出てきた名前にぎくりと心臓が跳ねた。上手く反応できないでいる靖貴をよそに、克也は躊躇(ためら)いなく答える。

「うん。たしかそんな名字の子、いる。ね、やっさん？」

克也に尋ねられ「あ、ああ」とカラカラの声で同意する。たしか、どころか確実にいるけれど、それがどうしたというのか――

ぎこちない靖貴の反応に気づくことなく、村上はその目をキラキラと輝かせた。

「うわー、すげー羨ましい！　あの子、超かわいくねー？」

「そんなんだったかなぁ。俺、顔よく見てないからわかんないんだけど」

「まぁ、斉藤はオタクだから仕方ねーか。三次元の女までチェックしてるヒマもないよな」

「別に、そういうわけじゃないけどさ。でも、なんで北岡さんのこと知ってるの？」

「俺、昔同じ塾だったんだ。そのときはあんまり喋る機会とかはなかったけど。あの子すげぇ可愛くて目立ってたからさ。俺の友達とかもマジ惚れしちゃってさ。結局告白したのかな？　その辺はよくわかんねーけど」

それを聞いて、何故かテンションががくんと落ちる思いだった。

（やっぱりあの子、モテるのかな）

朝にも思った通り、彼女に特別な感情を抱いているわけじゃない。ただ、同じクラスの仲間として付き合う手前、「素直でいい子だったらいいな」とは密かに願っていた。自分の経験上、見た目が良くてモテる人種というのは、屈託がなくて裏表の少ないおおらかな人も多いが、選民意識が強く冷淡な者も存在する。あの彼女の笑顔の少なさを考えると、どっちなのかは答えはすぐに出てくる。……別に、自分には関係のないことだけれど。

克也が「村上こそ、サッカーばっかやってると思ったのに、そーゆーのに対するアンテナはすごいんだね」と先ほどのお返しを口にすると、村上は「うるせーな」とまんざらでもなさそうに鼻を啜（すす）った。

「やっぱ高校でもサッカー部入るの？」

克也がサクッと話題をすり替える。村上もまたそれに乗った。

「ああ。明日にでも見学行くつもりだよ。うちの学校あんま強くないけど、でもプレーできるだけでいいかなって。飯島とかは、何部入るか決めた？」

話を振られた靖貴は、慌てて気を取り直して答える。

「あ……、俺は水泳部にしようかなって」

中学時代は水泳部がなかったから陸上部だったけれど、もともと泳ぐ方が得意だし、高校に入ったらそっちの部にしようと決めていた。

それを聞いた克也がきょとんと目をまるくする。

「え、水泳部ってたしかこの前の台風でプールがぶっ壊れて、それ以来休部状態って話じゃなかった？」

ねぇ、と同意を求められた村上が「俺もそれ聞いた」と頷く。どうやらその事実を知らないのは、自分のような間抜けだけだったらしい。

靖貴はこの日二度目の落胆に、がっくりと頭を垂れた。


新緑の日々は淡々と、だがわずかながらの変化を伴いつつ過ぎていく。

希望の部活動に入部することが叶わなかった靖貴は、だったらいっそのこと、と活動日の少ない文化部に入る意志を固めた。「郷土地理研究会」という学術系の部活だ。

聞けば定期的な集まりは週に一度月曜のみ、休んでも特に何も言われないとのことで、残りの放課後の時間は趣味の情報収集や勉強、それといい案件があればこっそりバイトでもしようかと決めた。

それと通学用に一つ眼鏡を新しく誂えた。今どきの「安くて流行り」が推しの店ではなく、街の老舗で作ったそれはメタルフレームのありがちなデザインだが、鼻の位置がずれにくく見やすいのですぐに馴染んだ。


隣の席の北岡恵麻は、モテぶりを誰かに確認するまでもなくあっという間に有名になった。同時に、見た目も日に日に変わっていった。

まず、当初こそ大人しく校則通りの服装をしていた北岡だが、始めに髪の色が明るくなり、次にその毛先がくるくるとしだし、スカートの丈は短くなり、うっすらと化粧を始め……。もともと整った顔立ちをしていたが、服装や髪型により更に目立つようになってしまった。

その姿を一目見ようと、休み時間に教室までやってくる者が男女問わずしばらく絶えなかったし、「うちの部に入らないか」と様々な部活から勧誘されている様子だった。

　ただ、周りがどれだけ騒ぎたてようと、北岡自身はいつもにこりともせずにやり過ごしているだけだった。思ったとおりあまり愛想のよい方ではないらしい。

　それは靖貴に対して向けられる態度も同じことで、入学式の日以来個人的な話はおろか挨拶さえまともに交わすことはなかった。目が合うことすらほとんどない。

　このように「自分に無関心」だということが常態化してくると、彼女が目に入るたびに感じていた胸の高鳴りも徐々になりを潜めていき、クラス全員の顔と名前が一致した頃には靖貴も完全に何も感じなくなっていた。初めて見たときに「可愛い」と思ったこともいつの間にかすっかり忘れてしまった。


　そうやって、彼と彼女が「派手な女王さまと地味なその他大勢」という立ち位置に収まりかけたときだ。例の事件が起こった。

「いや、いい」

　授業中に資料集を忘れてしまった北岡を見かねて、「自分のを見るか」と尋ねた靖貴に、彼女はそう言い放った。迷惑さすら感じているような口調で。

　おそらく北岡は、自分のことを人前で口を利くのでさえも憚(はばか)るほど下に見ている。

だからそのような態度を取れるのだ。

　靖貴だってあからさまにコケにされて平気ではない。自分は普通の高校生で、「ツンデレだな」と都合良く解釈をねじ曲げられるほど夢想家でも、「ツッパってるんだな」と虚勢を受け流せるほど人間の器が大きいわけでもなかった。

　以来、靖貴は北岡のことを「接点のないクラスメイト」から「できる限り関わらない方がいい人間」だと認識を改めた。こっちにだって自衛する権利はあるのだ、と。今後、どのようなことがあろうとも、例え彼女が窮地に陥っていようとも、二度と話しかけるような真似はすまいと誓った。

　きっと北岡も、自分にどう思われても構わないんだ。そう信じて疑わなかった。

（あ……、やっぱり）
　肌がなんだかやけにベタつくな、と思ったら雨が降りだしていた。朝からなんとなく重そうな空色をしていたが、とうとう堪（こら）えきれなかったらしい。ざあざあとけぶる初夏の景色を、恵麻は教室の四角い窓越しに眺めていた。

今日はＨＲのあと、他のクラスの友達としばらくおしゃべりをしていた。だが途中で友達は「そろそろ部活でる時間だ」と行ってしまった。

残された恵麻はひとり人けの失せた校舎を、滑りそうになるリノリウムの床を歩いて昇降口に向かった。

『恵麻ちゃん、今日雨降るって。ちゃんとした傘持っていった方がいいんじゃないかしら』

今朝家を出る前に、用意の良い姉からそう声をかけられた。いつも、姉のこの手の助言が間違っていたことはない。一応学校に折りたたみの傘を常備してはいるが、今日は幸い荷物も少なかったのでお気に入りの長傘を携えて登校した。

一階の昇降口に着く頃には、雨はいっそうひどく降っていた。恵麻は「やっぱりお姉ちゃんの言うことを聞いていてよかった」と安堵の息を吐いた。置き傘の折りたたみ傘は普通のものに比べて一回り小さく、この強さの雨を凌ぐには少々心許ない気がする。

下駄箱の前で靴を履き替え、傘立ての中から細い持ち手の自分の傘を見つけ出して、開け放した出入り口の桟を跨いだ。

そのとき、昇降口の外にある軒下に人が佇んでいることに気づいた。長袖のワイシヤツに、男子にしては長めの髪、黒いリュック。見覚えのあるその横顔は同じクラスの男子のものだ。名前は飯島だか飯塚だか……。目立たないのでちょっとその辺はあやふやだ。でもおそらく、「飯島」だった気がする。

彼は途切れなく雨を降らせる空を、眼鏡をかけた気難しそうな顔でじっと見上げていた。どうやら傘を忘れてしまったらしい。

（飯島――、どうするのかな……）

ふと気になった。どこに住んでいるのかは知らないが、徒歩で帰るにしろ、バスや電車を使うにしろ、学校の外に出なくてはいけないから傘は必須だろう。この雨では、なにもなかったら一分とたたずにずぶぬれになってしまう。

恵麻はふと思い出した。確か飯島とはつい先週まで隣の席だったのだが、その頃に授業中に資料集を忘れて手持ち無沙汰になった自分に、飯島が「一緒に見るか」と尋ねたことがある。

実はちょうどその少し前に、特別教室で行われた選択授業でも忘れ物をしてしまったことがあり、隣にいた他の男子に同じことを言われた。ただ、その男子はどうやら自分をつけ狙っているらしく、休み時間や登下校時にしつこくあとを追われたことがあり、恩を着せるのが嫌で断ってしまった。

そういうことがあったから、こちらの男子の誘いにだけ乗るわけにもいかなかった。選択授業のときのことを他の人が見ていたかもしれない。中学の頃自分が特定の男子を「特別扱いした・しない」でたびたび揉め事が起こった苦い経験があるので（もちろん自分にはそんなつもりはなかったが）クラス内の状況を見極めるまで、迂闊に異性とは関わり合わない方がいい。

でも、それから飯島は自分のことを苦手としているようだ。あまり喋らないから分かりにくいが、自分がたまたま飯島の方を向いたとき、あからさまに目を逸らされたり、朝も自分が先に席に着いていると時間ギリギリになるまで教室に入ってこなかったり、授業中筆記用具などを落としても全く反応しなくなった。

……落とし物なんか自分で回収するからいいのだけれど。でも他の人が落としたときは拾おうとしていたからちょっと引っかかる。資料集のことは飯島に落ち度があった訳じゃないのに。

（そうだ。置き傘――）

自分の使ってない傘。それを飯島に貸してやろうか、と。

今なら誰も見ていない。飯島はクラス内で発言力や影響力が大きそうではないけれど、不本意なきっかけで「嫌なヤツ」と思われたままというのも居心地が悪い。

自分が置き傘を貸したところでこちらに何も損はないし、それで飯島は助かって自分の印象も回復するのだから一挙両得じゃないだろうか。

情けは人のためならず、自分のため。ここで親切にしたことがいずれ回り回って自分への幸運をもたらせばいい。もちろん他言は無用にしてほしいが、あまりベラベラ喋る感じでもないから少し念押しをすれば大丈夫だろう。


急ぎ足で二階の教室のロッカーに折りたたみ傘を取りに戻る。その間に帰られたらどうしようかと危惧(きぐ)したが、軽く息を弾ませて昇降口に戻ってきたとき、彼は先ほどと寸分違(たが)わぬ場所で雨宿りを続けていた。

雨音に掻(か)き消されたのか、こちらの気配には全く気づいていないようだ。

恵麻は飯島に背後から近づく。

「ね……」

これ使う？　と続けようとしたとき、下駄箱の方から高い声がした。

「あっ、北岡ちゃん！　今帰り？」

名前を呼ばれた恵麻が振り返ると、最近知り合った別のクラスの友達が立っていた。

どうやら彼女も、どこかで時間を潰していたのか今しがた下校するところらしい。

「あ……うん」

「なに、傘わすれたの？」

「あ、いや……、持ってるけど」

左手に持っていた柄の長い洋傘を軽く掲げて見せた。反射的に右手に掴(つか)んでいた折りたたみ傘は鞄の影に隠すように引っ込めてしまった。

「それじゃ途中まで一緒に帰ろうよ。早く帰んないと、雷でも鳴りそうじゃない？」

友達は早々にビニール傘を開き、そう嘯(うそぶ)いて見せた。

彼女には飯島の姿は見えていないのか、それとも見えた上で無視をしたのかは分からない。だが急かされたと感じた恵麻は、慌てて傘を開き友達のあとを追った。

少しして後ろを振り返ったが、紫色の傘に隠れて軒下の様子は見えなかった。

「舞子(まいこ)ちゃん、今日部活は？」
「野外練習の日だったんだけど、この雨で中止。体育館で自主練する人もいたけど、

人多すぎで帰ってきちゃったよ」

「へー……。そっか」

「それより北岡ちゃんは？　部活まだ決めてないの？」

「うん、ちょっと……」

「うちの男子の先輩とかがさ、『やっぱあの子マネージャーになってくんないかな』ってまだ言ってるよ。早く決めちゃった方がいいよー」

もともとどこの部活に入る気もない彼女はのらりくらりと誘いを躱しながら、降りしきる雨の中を友達と歩いた。

その途中で、傘を持たない男子生徒に追い抜かれて思わず喉を震わせた。

（あっ……）

彼はこれぐらい平気だよ、と言わんばかりに早足で歩いているが、ワイシャツとその下に着たTシャツはぐっしょりと濡れて肌に張りついている。そんな背中がどこか寂しげに見えてしまった。

恵麻の心はちくりと痛んだ。自分の鞄の中に使ってない傘があるのに。結局渡せなかった。

驟雨に阻まれた視界の中で、あっと言う間に背中は遠ざかって見えなくなる。たぶんもう、追いつくことは不可能だ。仕方ない。こういうこともある、と恵麻は軽くため息を吐いた。

一瞬だけ交錯しかけた二人の歩む道は、悪戯なタイミングの神さまによってすぐに引き離されてしまった。

だけど、二人ともそれぞれの青春を過ごしているうちに、そんなことがあったことなど記憶の外へとこぼれ落ちてしまった。

再び交わる日が来ることすら予想していなかった、取るに足らないある日のお話。

制服Destiny

南総高校で一番女子が少ないのは、物理選択クラスの二年F組であり、その男女比は実に9：1……！

それ故、鬱憤を抱えた男子たちの間には、独特なノリが生まれがちである……………！

五月病の季節もひとまず過ぎ去り、衣替えを完了し、はるか南の海上にあるはずの梅雨前線が関東平野にもじめじめとした空気をもたらしていたある日の昼休み。

飯島靖貴は、昼食に食べた「沖縄黒糖入りロシアパン」がもたらす血糖値の急上昇でぼんやりしながら、二年連続で同じクラスになった斉藤克也と、教室から動かずのんべんだらりと過ごしていた。

「ねえ、やっさん。今までの人生でやり残したことってある？」

「たくさんあるけど……。何？　何の話？」

克也が突拍子もない話をするのはいつものことだ。靖貴は机に体半分突っ伏しながら、克也の話に合わせた。

「俺さ、『クマプーのはちみつゲットだぜ！』乗ったことないんだ」

「……へー」

予想以上にしょうもない回答。こういう場合、「へー」以外に適切な返答があったら誰か教えてほしい。

まともに聞く気をなくした靖貴に構うことなく、克也は熱っぽく続ける。

「DDに行こうとするといっつも休業中でさ。どんなものなんだろうって超気になってる」

「行けばよくね？　そんなためらうような距離？」

克也の言う『はちみつホニャララ』は、同じ県内に存在する超人気テーマパーク・DDランドにあるアトラクションの一つだ。

靖貴らが住んでいる場所とは、同じ県内ではあるが端と端に位置する。だが所詮県内なので大した距離ではない。東京通勤者も多いベッドタウンに住んでいることを考えれば、そんな思いつめた表情で語るほどじゃない。

するとと克也はパァァアア……と顔を輝かせた。

「えっ、やっさん一緒に行ってくれるの？」

「なんでそういう話になるんだよ」

喜びのあまり抱きついてきそうになる克也を引っ剥がす。［F組あるある：やたらと友達とスキンシップをとりたがる男子がいがち］

「だいたい、男同士で行ってどうすんだよ。サムいことこの上ないだろ」

「でも、一緒に行ってくれる女の子とか、この先できるかどうかわかんないじゃん！」

「だからって俺を巻き込むな」

ただでさえ、克也が隙あらばベタベタしてくるせいで「仲良きことは美しきかな」とか「うん……、俺はいいと思うよ」とか他の男子から変にあたたかく見守られているというのに。これ以上余計なことをしたらシャレじゃ済まなくなる。

それに、ああいうテーマパークには可愛い女性や無邪気な子供こそ似合うだろう。数々のアトラクションに興味がないわけではないが、あのファンシーな世界観の中で克也と自分が二人でいる絵面なんて、想像するだけで黒歴史決定だ。

どうせ行ったって混んでるし他あたれ、やだやだやっさんがいないと……と攻防を繰り広げる二人の視界に、ふと影がさした。

「話は聞かせてもらったぜ」

靖貴と克也が同時に顔を上げる。丸メガネをかけた面長の男――同じクラスの三城実紀が腕を組んで立っていた。

　克也が「どうしたの、みっきー」と尋ねると、三城はかがみ込んで二人の肩を同時にぽんと叩いた。

「斉藤、飯島、いまはDDランド、狙い目だぞ」

「……え？」

「六月と七月の夏休みに入る前までは、一年のうちで最も空いてる時期なんだ。雨さえ降らなければ寒くもないし最高だぞ。ちなみにデータによると平日の中なら月曜日が一番混んでるので、できればそこを避けて行くといい」

　やけに詳しい解説に、靖貴と克也は呆気に取られた。

　そう、この三城、関東地方にまれによくいる「DDガチ勢」の一人……！

　家の中はDDグッズで溢れ、子守唄代わりにDD映画を視聴するという英才教育を受けてきた。かつては家族全員でDDランド年間パスを保有し、週一以上のペースで通っていたという。現在でもリニューアルがあれば訪れ、その身をもって体感しているまさに「生き字引」……！［F組あるある：なんだかんだでマニアックな奴が多い］

　早口で言ったあと「あと千葉県民の日もNGな。知り合いに会いまくる」と付け加えた三城に、靖貴が呟く。

「……平日は学校あるでしょ」

「知ってるか二人とも。来週火曜は県の視察が入るから学校は三時間目までだ」

あ、と靖貴が間の抜けた声を出す。三城は顔近くにスマホを掲げ、「乗換案内」の画面をスワイプした。

「12：13小琳発の電車に乗れば、ＤＤランド前駅には13：19に到着する。今は入場時間限定パスという、遅く入った分割引してくれるパスポートもあるから、わざわざ混んでる土日に行くよりそっちの方がお得なんだ」

「調べるの早っ。もしかして、みっきーも行くつもりだったの？」

克也の質問に、三城は少し照れくさそうに首を振った。

「いや、どうしようか考えてたんだよな。行きたいけど一人じゃな……って」

「そしたら一緒に行こうよー！　ＤＤ詳しい人が案内してくれたら助かるし！　やったねやっさん、仲間が増えたよ！」

いや、だったら二人で行けよ……そう思ったが今は克也だけでなく三城もいる。三城とは克也ほど親しい間柄ではないので、無下に断るのもためらわれた。

言いよどむ靖貴の頭上より、別の男の声がした。

「えっ、なになに？　お前ら来週ＤＤ行くの～？　いいなぁ、俺も行きたいー！」

三城の真横に、同じクラスの内田が笑顔で立っていた。裏表なく明るい内田は、キャラの陰陽に関わらず友達が多い。二年生になって二ヶ月足らずで、ほぼ全員の男子と弁当のおかずの交換をしたらしい。靖貴も内田に6Pチーズをもらって以来、ちょっと心を許している。[F組あるある：弁当外交で仲良くなる]

内田の言葉に呼応するように、わらわらと他の男子も集まってきた。

「そういや俺、ランド行ったことない」「俺も、そういや『テラ塔』身長制限で引っかかって以来行ってないわ」「新しくできたアトラクション気になる」……

口々にDDについての思いを打ち明けて盛り上がる中、水を差した男子が約一名。

「でもなぁ、この前の中間で成績落ちたんだよなぁ……」

だがその男子も、内田らに即座に取り囲まれた。

「大丈夫！　一日ぐらい遊んだってすぐ取り返せるって！」

「ていうか先生も親も勉強勉強ってうるせーんだよ！　遊ぶときは遊ぶ！　メリハリつけた方が結局いい結果になるってどっかで聞いたぞ！」

「そうだそうだ！　遊びに行ったたって勉強もできるって、今回証明してやろうず！来年になったら受験でますます行く機会ねーんだぞ。だったら今しかないっ……!!」

そして内田が皆に問いかける。

「みんなー、ＤＤに行きたいかー！」

「おー！」と「いきたーい！」とが混ざって雄叫びとなる。拳を振り上げる様はまるで戦場の勝どきだ。

（なんでそんなに盛り上がれるんだよ……）

集団心理を目の当たりにして引いていると、内田が突然靖貴の方を振り向いた。

「飯島も、みんないるけどいいかな？」

内田の申し訳無さそうな笑顔を前に、ＮＯなんて言えるわけがない。絆された靖貴は控えめに拳を上げた。

「お、おー……」

そんなこんなで、なし崩し的にＤＤランドへ行くことが決まった。
参加者は十二名。当初は全員同じクラスのメンバーで行く予定だったが、その後都合で行けなくなった者を除き、噂を聞きつけた他クラスの男子などが参加したりで、この人数に落ち着いた。当然、普通に彼女がいそうなキラキラした人種は含まれてい

ない。

　当日、短い午前中のみの授業を終えると、男子たちは学校の最寄り・小琳駅より先頭車両に固まって乗り込んだ。車窓の外には束の間の青空が広がっている。

「そんじゃ、今日のメンバーでチャットのグループ作るか。絶叫系が苦手だったり、単独行動とか別行動したくなったら必ず一言投稿してなー」

　随一のリーダーシップを持つ内田が場を取り仕切る。言い終わると克也が「はい」と手を挙げた。

「あの、飯島君、携帯もってないんだけど」

「飯島は斉藤がいるから大丈夫だろ」

「だってさ。やっさん、離れないでね」

　未就学児じゃあるまいし、心配しすぎだ。「仕方なく付き合ってる」意識のある靖貴はあからさまにムッとした。

　ピコンピコンと克也のスマホが通知音を立てる。新規グループは順調に作成中だ。

「三城からなんかある？」

　内田の問いに、ＤＤマニアの三城が真剣な顔つきで答えた。

「そうだな。まず最初にどのファストパス取るか決めておこうか。あと、尿意と空腹感は楽しい時間の最大の敵だからな。みんな、トイレには行きたくなる前に行って、スナックは適宜つまんだ方がいいぞ」

克也のスマホに「鉄則：メシとトイレは早めに」とのメッセージが届いた。

それから三城からの助言を受けつつ、各自意見を出し合っておおまかなルートなどが決められていく。ああだこうだ言い合っているうちに、目的地であるＤＤランド前駅に到着した。

前もって購入していたパスポートで場内に入る。三城や他の男子が「今日は空いてるな」と話していたが、決して行き交う客の数は少なくない。そしてそのほとんどが家族連れ、女子グループ、カップルばかりだ。

自分たちのように男子だけのグループというのは滅多にいない。いても修学旅行中と思しき集団ぐらいだ。自分たちも制服姿だし見た目は似ているのに、なんとなく漂う雰囲気にフレッシュさがない。

実際、他の客に「ねぇ、あの人たち……」と何度か二度見された。他の男子ははしゃいでいて気にならないようだが、小心者の靖貴には居心地が悪くて仕方がなかった。

（どれくらいいるつもりなんだろ……）

パスポート代は惜しいけれど、少なくとも夕飯は家で食べたい。そもそも最初は克也の『はちみつゲットだぜ！』に乗りたいという野望から始まった話だ。サクサク済ませて乗るもん乗って、なるべく早く帰らないと。明日も学校がある。

「そしたら、まず買い物からだな」

三城のすすめで、最初に土産物を購入し、大きなリュックなどの荷物をコインロッカーに詰めて、身軽に行動することとなった。

全員土産物を買い終えたところで、近くのオープンカフェで軽食をつまむ。ベンチに腰をかけてホットドッグにかぶりつくと、靖貴はふと頭頂部に違和感を覚えた。

「やっさん、じっとしてて」

どうやら背後にいる克也がなにかしらのいたずらをしているらしい。「なんだよ」と問いかけるよりも早く、靖貴の顔の前に克也のスマホが腕ごとニュッと伸びてきた。

「見てー、おそろい！」

控えめな音を立てて自撮りされた写真には、丸い耳の形をした髪飾りを装着した克也と靖貴が写っていた。

男子たちの視線が二人に集中する。ざわ……ざわ……

「フリマアプリで買っておいたんだ〜。やっさん眼鏡だからカチューシャじゃないほうがいいじゃん」

「お前、ちょっ……」

　何やってるんだよ浮かれ過ぎだ。だいたい今日は乗り物メインじゃないのか。こんな仮装まがいのことまでする必要があるのか。苛立ちを抑えきれなくなったときだ。

　男子たちの中から「あの……」と手が挙がった。「成績落ちた」と当初参加に難色を示していた奴だ。

「一人だとつける勇気でないけど、実は俺も持ってきてて……」

　彼は肩掛けカバンから、おずおずと髪飾りを取り出した。

　克也が「一緒だね！」と手を叩いて喜ぶ。三人で自撮りをするなど靖貴も巻き込まれた。

「えー、お前らだけずるい！　俺も買ってくる！　ダルメシアンのやつがいい！」

　内田が言うと、我も我もと他の男子も続いた。

「さっき実は、買おうかどうか迷ってたんだよね」

「自分、坊主なんで帽子でいいっすか」

　言いながらまた土産物屋に戻っていく。

　十分後には、全員が頭になにかしらの飾りをつけるに至った。オーソドックスな丸耳をつけるもの、大きなぞう耳のもの、プリンセス風のティアラを載せたもの、パーティーメガネのもの……それぞれ個性はあるが、頭の上だけ仮装状態の制服男子の集団というのはなかなかに壮観だった。

（こいつら……、どうしちゃったんだ……⁉）

無粋な靖貴は混乱した。普段の真面目な顔で授業を受けている姿からは、コスプレをして喜んでいる今の有様など想像もできなかった。

だが実は、別におかしいことでもなんでもないのだ。

そう……、男子だって本当は、可愛いものに触れたくなるときがある……！

「キャラクターものなんて」と普段はカッコつけてるけれど、誰だって昔はファンタジーな世界に憧れ、可愛いキャラに癒やされ夢中になった過去があるのだ。

そして男子たちは、現実からは隔絶された世界の中で、さらに隠されていた内面をさらけ出していく……！

映えを狙って写真を撮る者もいれば……

「裕人のカチューシャ、めっちゃいい！　そんなのあったんだ？」

「創真のだっていいじゃん！　あとで交換して2ショとろ♡」

人気の男子を奪い合う者もいて……

「次、僕がうっちーの隣！」

「えーっ、ずるい！　さっきもじゃなかった⁉　順番守ろうよー！」

低年齢向けアトラクションで友情を育む者……

「俺、実は絶叫系ダメなんだけど、すごい楽しめるね」

「『フライングぞうさん』最高だよね！　その次は『おやゆび姫の川流れ』行こうよ」


楽しみ方はいろいろ……！

だってここは、みんなの夢を叶える場所だから……！


そんな中、内心では「俺は違う」と思いつつ場の空気だけは壊さないようにしていた男がいる。飯島靖貴だ。

本日五回目の『水しぶき激流下り』に乗ったところで、ぽん、と克也に肩を叩かれた。

「やっさーん、疲れてない？　内田とかに言ってちょっと休憩挟む？」

「あ、うん。ていうか腹減ったな」

体力自慢の内田率いる本隊にくっついて歩いていた靖貴だが、さすがに少ししんどくなってきた。初夏ゆえにまだ日が高いが、時計を見ると午後五時半を周っていて驚いた。

内田に抜けることを申告してから、克也と靖貴は近くのバフェテリアに入った。カウンターに並べられた料理の中から、食べたいものをトレイに載せていく方式（セルフのうどん店や社員食堂に近いスタイル）だ。

若い女性が多く並ぶ列の一番後ろに加わると、靖貴は時間潰しがてら携行中の小型デジカメに収められた写真を見返した。

「みんな、すげー楽しんでるよな」

「だね。まさか今のクラスメイトとDD行くことになるとか思ってなかったけど、誘ってよかったね」

画面越しに、今日という日をめいっぱい楽しむ男子たちの熱気が伝わってくる。

今回のDDランド行きを親に告げたところ、「スマホ持ってないんだし、とりあえずコレでも持っていけば」とこのデジカメを渡された。

入園当初は大したやる気もなく、「参加してる感」を出すために写真を撮っていた。だが何枚も撮っていると、決定的瞬間だったり、思いがけずいい表情を稀に捉えたりする。でも狙って撮るといまいちだったりで、写真って奥が深いんだな、と噛み締めているところだ。

そういえば、ミラーレスとか一眼レフとかってどうなんだろう。今まで全然興味がなかったけど、やっぱりいい写真撮れるのかなぁ……。そんなあさってのことを考えていた靖貴に、克也が呟く。

「俺、本当にずっと来たかったんだよね」

そうなんだ、と靖貴は相槌を打った。

「実は小学校のときとか、卒業旅行の日に限って熱だしたりで、DD行けなくてすごい悔しかったんだ。そんなに友達いなかったけど、やっぱ楽しみにしてたから」

克也と靖貴は同じ市内の違う小学校出身だが、靖貴の小学校でも卒業旅行として全員でDDに行くイベントがあった。おそらく市内のどの小学校でも行くことになっていたのだろう。

克也にそんな悲しい思い出があったとは、今まで知らなかった。言ってくれればもっと素直に承諾したのに。とちょっとバツの悪い思いがした。

「だから今日は、ほんっとーに楽しい！　しかも、やっさんもいるしね」

（お前……、そんな……）

普段あんなにそっけなくしてるのに、どうしてそこまで自分を慕ってくれるのだろう。克也の満面の笑みに胸が痛くなる。

靖貴たちの番になった。どれにしようかな、と悩む克也の隣で、靖貴はスウィーツコーナーで一番存在感を放っていたケーキに目を留めた。小型のホールケーキだ。

(このケーキ、いいな……)

語彙力がないので説明しづらいが、とにかくめっちゃ可愛い。量も一人だとちょっと多いぐらいでシェアにちょうどいい。しかも名前が「なんでもない日のケーキ」……今日にぴったりじゃないか。ぜひ写真に収めたい。

「克也、このケーキ半分ずつ食べない?」

「えっ、いいの?」

もちろんだ、と頷く。飲み物と共にきっちり割り勘で会計をして、客席の端にあるテーブルに着く。

「はい、チーズ」

まずは一枚。照れくさそうに笑う丸耳つき克也と、ケーキを一緒にコンデジの画角に収める。

うん、とってもいい。とてもいい若気の至り感だ。もしも克也が近いうちに不慮の事故で亡くなったらこれを遺影にしてほしい。

　プッと靖貴は吹き出した。ああ、なんか分かってきた。バカげたことをやるのって結構楽しい。いつもは地味で無口でイジられるばかりの自分だけど、みんながみんな真剣にフザけてる今なら、自分のキャラを脱ぎ捨てたっていいのかもしれない。

「そしたら、お皿手にとってみようか。おっ、いいねー……！」

　有名写真家にでもなったつもりで、克也をおだてていく。

　克也は少し戸惑いながらも、靖貴の指示にはちゃんと従った。

「いいねー、かっちゃん！　もうちょっと顔をこっち……、いいよ、いいよ！　いい笑顔だよー！」

「やっさん……、そろそろ食べたいんだけど……」

「あとワンポーズ撮ったらね！　一口くわえてみて……そう！　最高！」

　克也にいろいろなポーズをとらせては、ばしばしとシャッターを切る。だんだん表情のクセなどがわかってきて、「克也の最高の顔を撮る。それが俺の使命」という気分になってきた。

（やばい……）

　他の客から見たら超イタいんだろうな、とは思うけど
（これはこれでクソたのしい……）

背後の席から「とうとう飯島が壊れた」「シッ！　あんまりジロジロ見ちゃいけません！」などと話す声が聞こえた。いつの間にか、他のクラスメイトも同じところに来ていたようだ。

……俺のハイテンションは貴重だぜ。今のうちによーく見ておけよ。そう思いながら「いいねー。もっと俺にさらけ出して！　はい、じゃあもう一枚！」と克也に注文をつけた。

「っていうわけで、クラスの奴とかその他大勢で行ってきました」

翌日、帰りの電車の中で、克也が嬉々として田村に報告した。

昨日は結局、昼から閉園時間までガッツリ遊んでしまった。帰る頃には体力はほとんど残っていなかったし、なんなら今もちょっとだるい。他の奴らも似たようなものだったようで、今日は授業中舟を漕いでいる奴がやけに多かった。

田村は克也のスマホを受け取ると、グループチャットに投稿された写真を見てぼそりと呟いた。

「驚異のメガネ率だな」

「そこ？」

　靖貴は田村の手元にある画面を覗き込む。ふわふわ加工アプリで撮影され「うちら最強☆」などと落書きがされた自撮り写真や、シンメトリーでポーズを取っている二人組の写真、着ぐるみのキャラクターを囲んで全員でピースをしている写真など、全体的にノリが乙女っぽい。

「おお、お前らの写真もあるじゃないか」

「えっ⁉」

　半笑いで田村が写真を拡大する。

　靖貴が克也に「あーん」されてケーキを食べている写真がそこに表示されていた。

「あっ……、いや、これは……」

「なんだ、めっしーもまんざらでもなさそうじゃないか」

「そうなんだ～。やっさんってさ、素直じゃないから♡　こういうときじゃないとデレてくれないみたい」

　件の写真はもちろん「なんでもない日のケーキ」を二人でシェアしたときのものだ。ついつい写真家のキャラにまかせて克也から差し出されたケーキをくわえてしまったのだが、その決定的瞬間を他の男子にこっそり撮られていたらしい。

ああ、若気の至り……。これが他の奴のスマホにも送られたかと思うと後悔しか湧いてこない。できるなら今すぐにでも全員のスマホをぶんどって、すべて消去してしまいたい。

田村の目元が、呆れたように細められた。

「こんなことしてたら、ますます女子と縁が遠くならないか」

「……ゼロにはなに掛けたってゼロにしかなんねーんだよ」

「いやまぁしかし、よくもまぁ男子だけで行こうってなったよな」

「今の時代そういうのナンセンスだよねー。男の子同士でDD行ったっていいじゃない。むしろ男子オンリーの方が余計な気ぃ使わなくて楽しいと思うよ」

強がりなのか負け惜しみなのか、やけに堂々と克也が言い切る。田村はフッと笑うと、何故か靖貴の方に向き直って言った。

「とか言ってるけど、いい機会だからめっしー覚えておけ。この手の男はたぶんそのうち裏切るぞ」

「え」

意外な一言に、靖貴も克也も同時に声が出た。虚を突かれて固まる二人に、田村は淡々と言った。

「行動力があって口も上手いからな。想像してごらんよ。こいつに好きな女子ができたとして、モジモジしてる姿とか思い浮かぶか？」

　確かに……。こっ恥ずかしいことも克也なら難なくこなしてしまいそうだ。告白やらデートに誘うのやらをためらっている姿は思い浮かばない。だけど同時に、どんな女子が克也のことを好きになるのか、これまた全く思い浮かばないのだ。

　克也本人も「えー」と微妙な顔で首を傾げた。

「そんなことしないと思うよ。こんな生活じゃ出会いとか全然だし」

「まぁ別に、それが悪いことだって言ってるわけじゃないから。出会いがあったら、暗くてモテない友達のことなんか気にせずガンガン行くがよろし」

「いま俺のことディスった？」

　靖貴の問いに、田村は口元だけで笑って目を逸らした。まあ別に、いいんだけど。

　ガンガン行くねぇ……と反芻すると、克也は「そうだ！」と顔の前で手を叩いた。

「ねーやっさん、今度スウィーツビュッフェ行こうよ。幕張クィーンズホテルの。前期試験おわったらのご褒美♡　今からダイエットしとくね♡」

「行かない。何しれっと行くこと前提で話進めてんだ。ＤＤで味しめんな」

「えー、行かないの？　たむさん、こういう場合どうしたらいい？」

「よし、『仲間はずれはさみしい作戦』でいくか。とりあえず私は行ってもいいぞ。あと田久保とかも誘うか。ついでにスウィーツだけじゃなくて肉も食えるところにするぞ。で、めっしーはどうする？」

「……行くよ」

克也と田村がパァン、と手を叩きあった。息の合ったハイタッチだ。

飯島・斉藤・田村の高二トリオは、全員モテなかったけれどたまに盛り上がる日もあって、それなりの青春を送っていた。

結局は、恋人がいようがいまいが、その場その場で楽しめる何かを見つけたもん勝ちである。

ちなみに、ＤＤランドに行ったクラスメイトの前期考査における成績は、全体として上がりもせず下がりもせず、全くもって面白みのない結果となったことを付しておく。

飯島家の姉弟

ちょっと聞いてくださいよ、四つ下のうちの弟なんですけどね。

『おねえちゃん、赤白ぼうしわすれちゃった。かして』

小さい頃、靖貴はホントにどん臭いヤツでした。同じ小学校に通っていた時分は、こんな風に私のところに忘れ物を借りにくることもしばしば。「飯島さんちの弟くんって、ちょっとそそっかしいのかな？」とクラスメイトに聞かれて恥ずかしい思いをしたりもしました。

家では、年齢が四歳（正確には三歳と半年）も離れていることと、性別が違うことで、そこまで仲の良い姉弟ではなかったです。弟はボーッとしてるわりに周りに合わせる術を持っていたようで、保育園でも小学校でも仲間はずれにされることなく、よく友達と家を行き来しているみたいでした。なので私はあいつと一緒に遊んだ記憶がそんなにないんですよね。

そういえばあいつがうんと幼い頃、一度いたずら心を起こして、私の生活科の教科書に落書きをしたことがありましたっけ。そのときは教科書の背表紙でヤツの脳天を叩き、「次にやったらお前の指を切り落とす」と宣言したことで、二度とそのようなことをしなくなりました。靖貴はびぇんびぇんと泣いていましたが、知ったことではありません。これも因果応報というやつです。小さな子供にも、世の中の厳しさを教えるのは必然かつ必要でしょう。

私が先に小学校を卒業するぐらいから、弟は徐々にしっかりしてきたようです。あいつが小四の時、保護者面談から帰ってきた母が「先生に『靖貴君はそうじも宿題もちゃんとやるし、真面目ないい子です』って言われちゃった」と嬉しそうに報告してきました。

それって他に褒めるところがない場合の常套句じゃね、と思いましたが、空気を読む私は「へー、すごいね」と無難に合わせました。母親ってのは、息子に甘いもんです。

生まれつきチビっ子だった靖貴ですが、中学の半ばからようやく背が伸び始めました。それまで「前へならえ」をやると腰に手がいくタイプだったくせに、いつのまにか目線は私よりだいぶ上です。まぁ、私も大人の女性としては低い方ではあるのですが。

その頃たまたまうちに遊びに来ていた小椋仁奈という友達（常に様子がおかしめ）

が、靖貴を見て「ほー、弟くんだいぶ美味しく成長したねー。俺の嫁にしてーなー」と非常に気色の悪い顔で語っていて、「ごめん、あいつにも選ぶ権利があるから」と思わずマジレスしてしまったことをよく覚えています。

そして中学卒業後は、私の母校でもある南総高校へと進学しました。高校生になっても地味なところは変わりませんでした。

あれじゃモテんだろうな、意外に南高にもスクールカーストが根強くあったりするから、などと傍から見ていて思いましたが、同じ中学出身の克也くんとやらとモテない同士熱い友情を育んでいるようなので、まぁいっかと放置を決め込んでいました。

そうそう、靖貴が高校二年生の冬休み、何故か私と前述のバカ友と、三人で一緒に服屋へ買い物に行ったことがありました（おそらく、登山用品を見に行った靖貴と、偶然都内に遊びにきていた我々が合流したという流れだったと思います）。

いつもボーダーシャツで「楳図かずおのソウルメイト」という二つ名を持つバカ友の仁ちゃんですが、他の人のファッションにはあれこれ口出しをするのが好きみたいです。そのときも「これ着てみて」「こっちの方が似合うかも」と靖貴をイジりまくった挙句、三箇日にもらったお年玉がふっ飛ぶほど散財させていました。

「三テン（※三人用のテントのこと）買おうと思ってたのに……」

帰り道靖貴は文句をブツブツ垂れていましたが、仁ちゃんのアドバイスが意外にもハマったようで、以来靖貴は私服にはちょっと凝りだすようになります。ただし、制服姿は相変わらずダッサダサのままでしたが……。

そして、つい先日。靖貴が高三、私が大学四年次の夏休みを迎えたある日の夕暮れです。

「美貴ちゃん、ちょっと」

風呂あがりに、母親に肩を叩かれました。呼ばれるままついて台所へ向かうと、誰もいないのに何故か母は声を潜めてこう切り出しました。

「実はね、この前靖貴の同級生っていう女の子が、あの子に会いにきたのよ」

「は？」

「なんかすごく大人っぽくて可愛い子だったけど……、もしかして彼女なのかしら」

母は小声ながらも、興奮を抑えきれない様子です。

女の子が少し髪を染めていて化粧をしていたこと、靖貴になにがしかの荷物（プレゼント？）を渡していたこと、靖貴がその子を追いかけるように外に出て行ったことなどを事細かに、少しオーバーに話し出しました。

特に母親の関心を引いたのは、その子が非常にグッドなルッキングをしていたことのようで……

「美貴ちゃん、『ロミオとジュリエット』の映画観たことある？　あれのジュリエットにそっくり。南総高校にあんな美人さんがいるなんて信じられないわー。でも、うちのやっちゃんとはお似合いよね」

……「あんな美人が」って、南高出身の私とか仁ちゃんにちょっと失礼だろ。あとジュリエットって、クレア・デインズとオリビア・ハッセーどっちだ。そんで靖貴のことちょっと過大評価しすぎ。

母親が息子に甘いのは分かるけど（※二度目）、そんなイケイケなカワイコちゃんが靖貴みたいなよくその辺にいそうな男を選ぶとは考えられない。

「……彼女だったらわざわざ家までこないで、もっと別なとこで会ったりするんじゃない」

冷水をぶっかけると、母はハッと気がついたように頬に手を添えて
「それもそうねぇ。そういえば、あの子の名前間違えて覚えてたみたいだし」

呟いたのとほぼ同時に、「ただいまー」と靖貴が予備校から帰ってきました。そし

てすぐに台所へやってきて冷蔵庫を開け、冷水筒の中身をコップに注いで飲もうとしたのです。

「靖貴、それ出汁（だし）！」

母親が声を上げたものの一足遅く、靖貴は盛大にむせて流しに向かって吐き出しました。どうやら出汁パック入りの冷水筒を、ジャスミン茶入りかなんかと間違えてしまったようです。

「なんでそんな紛らわしいことすんの⁉」

靖貴が咳（せ）き込みながら抗議すると、母親はヘラヘラとしながら弁明しました。

「ごめんごめん。煮物に使おうと思って出汁とっといたのよね」

我が弟ながらツイてない奴……。ていうか嗅覚で分かりそうなもんだけどな……と

ダサすぎる失態を犯したその姿に笑いを禁じ得ませんでした。

「お茶だったら缶入りのがお中元にあったよ。冷えてないけど」

私がそう教えると、靖貴はうなだれたまま背を翻しました。

「もういい……。風呂入ってくる……」

やっぱりこんな子がモテるはずがありません。母も同じ気持ちだったようで、二人で顔を合わせると、「しょうがないな」とばかりに苦笑いを浮かべました。

今日も日中は猛暑日を記録しました。エンドレスなサマーです。

今夜は父母が親戚の家に泊まりに行ってしまったので、夕飯は靖貴と二人で外食する予定です。

夏休みはバイトの稼ぎどきってなわけで、私は都内某所でイベント受付としてガッツリ働いたのち、乗り換え駅である千葉駅で電車を降りました。ここの方が地元よりも店が多いし（断然）、靖貴の通っている予備校もこのあたりなんですよね。

待ち合わせより少し早く着いてしまったので、今は駅の近くにあるデパートでヒマを潰している最中です。

で、なんとなく若者向けのフロアをうろつくものの、売られているのは早くも秋物ばかりで……、正直いまの時期にブーツやらニットやらを見せられても、「暑苦しい」としか思えなくて。

（あーぁ、やることないな……）

しかもお腹は結構エンプティです。こんなことになるならあいつの予備校がいつ終わるのか、正確な時間聞いときゃよかったと後悔するも時すでに遅し。靖貴はいまどきの若者にしては珍しく携帯電話を持っていません。だから「早く来いよ」と命令したくてもできないのです。

さっきから靖貴に似た男なら何人も見たのに……。こうなったら靖貴の好みなんかガン無視してシャレオツなパスタ屋とかに入ってやる。そう意気込みつつ、あてもなく海外コスメブランドの店先にあった美白乳液を手に塗りたくっていると、後ろから声がしました。

「あれ。もしかして飯島さん？」

「えっ⁉」

驚いて振り向くと、どこかで見たような顔の女子が口元を押さえながら佇んでいました。

（誰だっけ？）

「やだー、偶然。相変わらず暗い感じだねー。何やってるの？」

馴れ馴れしく人を小バカにした喋り方で、ようやく名前を思い出しました。

この人は、高校時代の同級生・茂田舞花（もだまいか）（通称・モブ花）嬢です。当時から何故かこの人は私のことを敵対視しているようで、私が通り過ぎるとクスクスと笑ったり、私の友達である仁ちゃんの悪口を言いふらしたりで、感じ悪いったらありゃしない人物でした。

ぬかった……。高校時代と違って化粧はバッチリだわ、髪は茶色くなってるわで気づくのが遅れ、対応の初手を誤ったぜ……。しかし、垢ぬけても根性悪そうなところは隠せてないな、と私も意地悪く思いました。

モブ花は何故か機嫌良さそうに、私の進行方向をブロックしながら話しかけてきます。

「今から彼氏と買い物してご飯なの。飯島さんは？」

うっせーな、どうせこっちは弟と外食だよ。彼氏いるけどそんなしょっちゅう会うわけじゃないし。

「ああ、まぁ……」と曖昧に答えると、人の話なんかそもそも聞いちゃいないモブ花は一方的に続けました。

「これから彼氏と一緒に浴衣選ぶんだー。今度の湾岸の花火大会に着ていくつもりなんだけど、着崩れするし面倒くさいじゃない。でもあいつがどうしてもって言うからー」

「へー……」

「『俺が金出すから着てくれ』って。そこまで私の浴衣姿見たいの？　みたいなー。飯島さんはそういうこと、言われることないからわかんないよねー」

（うざ……）

自慢話だけならスルーできようものの、ちょくちょくディスり気味のことを言ってくるので癇に障ってしょうがありません。これがマウンティング女子ってやつでしょうか。

「誰かと待ち合わせ？　どうせ小椋さんとなんでしょ？」

ニヤニヤ笑いながらそう言われたので、さすがに私の堪忍袋の緒もブチ切れ寸前です（仁ちゃんと仲いいことを恥じているわけではありませんが、侮蔑のニュアンスで言われたらそりゃ腹立つってもんです）。

「ちが……」

思わず言い返したそのとき――

「美貴子」

ぽん、と肩を叩かれました。

誰かと思い斜めを見上げるとそこにいたのは、Tシャツを重ね着した自分とよく似た目をした眼鏡男。……要はうちの弟です。

しかし、何故ここにいることが分かった？　そして姉に向かって「美貴子」とな⁉

いろいろ言ってやりたいことがありつつも、何からツッコんでいいか分からない私に、靖貴は柔らかい笑みを浮かべて尋ねてきました。

「遅れてごめん……。お腹すいてない？」

「あ、ああ……」

ちら、とモブ花の方を見遣ると、彼女は面食らって開いた口がふさがらない様子。どうやら靖貴のことを彼氏かなんかと勘違いでもしてるみたい。

……ちょうどいい。このまま誤解させておくか。私は心持ち靖貴に寄り添いながら、余裕の表情でモブ花に告げました。

「ごめんね、そういうことだから。私も行かなきゃ」

「はぁ……」

「そっちも、彼氏さんによろしくね～」

手をヒラヒラと振りながら、靖貴と二人、モブ花に背中を向けてエスカレーターの方へ歩き出しました。

そして私は思いました。

勝った、と。

建物の外に出ると日差しはなくなったものの、空気はまだムワッと蒸し暑く、でもどこかに夏の終わりを感じさせる匂いが街中を満たしていました。

信号待ちで足を止めると、靖貴がこちらをちらりと伺ってきました。

「どこいく？　腹減ってるし、俺的にはガッツリがいいんだけど」

当初は女子ウケ１００％の店にしようかと思ってた……けど
「そしたら『竹なり』にする？」

高カロリーこってり味で大人気（主に運動部の男子学生に）な有名ラーメン店の名をあげると、靖貴は驚きながらも嬉しそうに目を細めました。

「おー、いいね。でもねーちゃん食いきれるの？」

「残しそうだったらアンタ食べてよ。育ち盛りでしょ」

私は「また『ねーちゃん』に戻ったな」と思いつつそう口にしました。

「おけ。そうしよっか」

快諾を得たので、靖貴と繁華街の地下にあるラーメン店へと向かったのです。

案の定、私にはトゥーマッチな量でしたが、根性で完食しました。

そしたら靖貴に「ちょっと残しておいてくれると思ってたのに」と逆に不満そうに言われてしまいました。

帰りの電車の中、私と弟は並んで座りました。ようやく落ち着いて話ができる状況になったので、気になっていたことを尋ねました。

「さっき、なんでナナシタンに私がいるってわかった?」

ナナシタンというのは、私とモブ花が火花を散らしていた場所にあった店のことです。

靖貴は「ああ」と頷きながらゆっくりと答えました。

「えー、上の階のロフトに行った帰りだったんだよ。たまたまねーちゃんに似た人がいたから、もしかしてそうかなって思ってさ」

なるほど、と思いながらもうちょっとツッコみます。

「そんであんとき、なんで『美貴子』って呼び捨てにした？」

お陰でモブ花も撃退できたし助かったけどさ。でも、こいつは何を考えてあのタイミングで話しかけてきたんだろう。

気になっていたことを確かめると、靖貴はぽかんとした表情で首を傾げて
「え、したっけ？」

「覚えてないの？」

二度聞きすると、靖貴は「覚えてない」と真面目な顔で言いました。

私は頭を悩ませました。しらばっくれてるのか、本気で覚えてないのか、どっちなんだろう。

しらばっくれの場合、私とモブ花の不穏な空気を察知して、敢えてなかったことにしようとしてるのかもしれないし、呼び捨てにしたことを怒られると思ってトボけてるのかもしれないし……

（ま、いっか）

どっちにしたって役に立ってくれたのは間違いないし、これ以上責めるのは恩知らずというものだ。

私は追求するのを諦めて、靖貴の様子を改めて観察しました。

ヒョロいヒョロいと思っていたその体は、いつのまにか適度な筋肉がついていて、大人の男性になりつつあるようでした。服も奇抜さはないけど普通に似合っている。身内の贔屓かもしれないけれど、世の中一般の男子と比べてもいい方の部類に入るのかもしれない。それに、意外に機転が利いて女子に優しい。となれば……

（家にきたっていう子も、もしかしたら「そう」なのかもしれないな）

そんなことを考えつつも、事なかれ主義の私はどうでもいいことを声に乗せて出しました。

「勉強、ちゃんとしてる？」

「してるよ。でも英語はやっぱ苦手。語彙が全然増えねー」

「そしたらＤＵＯ試してみる？　私持ってるから」

「マジ？　貸してくれるの？　サンキュ」

心底嬉しそうに手を叩くその姿は、やはり「モテ」の片鱗など微塵も感じさせない出来栄えでしたが。

うちの弟はちょっと変だ。でもなんか、悪くないかも。

どうか将来この子と結ばれる子が、悪女ではない、優しいいい子でありますように。
曲がりなりにも姉として、そんなことを願わずにはいられませんでした。

Zipper

「恵麻、最近いきなり見た目おとなしくなったよね。どうした？」

放課後、ふと思い出したように美優に聞かれた。

そのときは「もう受験だし、勉強に集中しようと思って」って答えて、美優にも納得してもらった。


でも本当は全然ちがう。


髪の毛巻いたり、ばっちりメイクしたり、派手なカッコして、ナメられないようにして……いわゆる「虚勢張る」みたいなことが急に居心地悪く感じたからだ。そんなことしなくても、ちゃんと落ち着いて、話聞いてくれる人はいるって分かったから。

それに、今の方が実はずっとベースには時間がかかってるんだ。メイクはミルクでこすらないようにじっくり落として、化粧水はお風呂上がりすぐにハンドプレスして、ちゃんと美容液も使って、ちょっといい乳液でフタをして……。がっつり盛れないぶん、肌に透明感が出るよう毎日がんばってる。

でもそんなこと、今日一緒に帰るだろう「あいつ」に気づかれでもしたら恥ずかしさで死ねるけど。「うちの姉から聞いたんだけど、ナチュラルメイクってホントは面倒なんだってね（笑）」とかって。髪型とかも地味な感じに変えて、なに最近男ウケ意識しだしちゃってんの、みたいな。

ああ、そんなこと言うキャラじゃないから大丈夫か。むしろもっとこっち見ろよって、電車の窓の外ばっか見てないで、もうちょっと目ぇ見て話してよって――

「そういや、『エマ』ってさ」

なに、いきなり。急に下の名前（しかも呼び捨て）呼ばれるとかってビックリするじゃん。

今は、午後九時すぎ。場所は、関東の田舎を走る電車の中。右も左も疲れたお勤め帰りの人ばっかりで、座る席もない。その中で、あたしとあいつは、つり革に掴まってブツブツと繋がらない点線みたいな会話をしているところだった。

さっきも、今日やった調理実習のことでちょっとしゃべったけど、あたしの前で他の女の子褒めるというデリカシーの欠片もないことをしでかしたから、またどうせしょうもないことを言うんだろう。

とはいえ、内心すっごく心臓バクバクしてる。気を引き締めないとすぐ顔に出てきちゃうからあぶないあぶない。あたしはいつもどおりを装って答えた。

「……なに？」

「あ、いや、うちのねーちゃんが読んでた漫画の主人公がその名前でさ。それがまんまタイトルになってるのがあったなって。知ってる？」

「知らない。……なにそれ」

「十九世紀後半のイギリスの、メイドさんが主人公のやつ。作者さんがメイド萌えらしくって、書き込みとかすっげー細かいんだ」

……そんなこと言われても、ぜんぜんピンと来ないし。ってか、ヒトの名前呼んでおいて、結局漫画の話かよ。

あーぁ、やっぱこいつオタクだわ。ドキッとして損した。

「へー……。ってか、『エマ』って欧米だとめっちゃよくある名前らしいね」

ブスッとしながらそう言うと、ヤツは大して気にも留めてない感じで「あ、そうなんだ」と頷いた。

「じゃあ、よくあるってことは人気なのかな」

「……よくわかんないけど。フランスだと女の子の赤ちゃんにつける名前で一番多いって、何年か前に聞いたことある」

「それってすげーじゃん。まぁなんかわかるけど」

「わかる？　なんで？」

「だってなんとなく、響きが可愛い感じがするから」

言いながらニーって下むいて笑ったから、顔がカーって熱くなって、目がジーンって痺れて、「あ……そう」みたいな雑な返事しかできなかった。

「可愛い」って、いままた言ったでしょ。いちおう今度は名前のことだけど、なんか。飯島ってたまにあたしのことをそうやって言うんだよね。ぶっちゃけすっごい嬉しいし、こんなにドキドキするのってやっぱ普通じゃない気がする。他の人に同じこと言われても、こんなふうにならないもん。

あたしは、隣でつり革に掴まりながらフラフラ揺れてる男子の、めっちゃかさついた唇の先を見ながら思った。


背、高くない。顔、まぁまぁふつう。服のセンス、よく分かんないけど制服の着こなしは限りなくダサい。

だけど喋ってるとテンポが合うのかしらないけど、ふわふわって楽しくて幸せな感じになるんだ。

だから今は全然そんなんじゃないけど……もし、万が一付き合うとかそういうことになったら、こいつと抱き合ったりするのかな。

あたしが寂しいな、って思ってたら、そっと手ぇ繋いで、優しく背中撫でられて、そんで不器用に唇よせてそれからそれから……、ああ、もう！　そんなのありえないってば！

ぷるぷると頭を振って変な考えを追い出す。そんなあたしの様子を、飯島はいつのまにか不思議そうに見てた。

「……どしたの？」

「え、別に……。ちょっと眠いだけ」

そうぶっきらぼうに答えた。ホントの気持ちなんか言えるわけないいし。

(だけど、飯島が同じ気持ちだったら……)

いいのにな、って思う。あたしと一緒にいると楽しいって、そんであれとかこれとかしたいって思ってくれたら……って。

ほらまた窓の外ばっか見てる。こんなに近くにいるのに、ぜんっぜん何考えてるか分かんない。けど、ちょっとはあたしのこと、特別に思ってくれてるのかな。

今は「好き」って言っていいか微妙。けど、たぶん向こうが「好き」って言ってくれたら、「いいよ」って言っちゃう気がする。

だから、もっとあたしのこと好きになって、告白しなきゃやってられないぐらいになればいいのに。

そう、もっと好きになって。

もっと。

もっと……

Yes, Emma OK?

（そういえば、昔ってこんな髪型してたなぁ……）

中学校の校則では「肩に髪がついたら結ぶこと」とされていたので、学校ではポニーテールにしていた。中学校の制服姿だけど髪をおろしているこの写真は、特別なシチュエーションで撮られたものだ。

パソコンの画面の中では、今より髪の長い自分と、同じぐらいの長さの恵麻がパフェを食べている。「遠いところから来たんです」と言って店員さんに撮ってもらったから、よく覚えている。

これも採用決定だな、と久美子(くみこ)は写真をクリックした。

「おおお、このカバー曲たまらん……！」

居間の大画面テレビには、四人組の若手バンドのライブ映像が流れている。ライブならではのアレンジ、ＭＣ中の仲睦まじげなやりとり、観客との一体感。どれを取っても最高だ。

ギターソロの場面で久美子の「推し」であるギタリスト・西が大写しになる。眼鏡をかけた薄い顔に滲む汗や、ギターネックを握る手の甲に浮かぶ血管に目が釘付けだ。なんてGJなカメラワーク。でもやっぱり生で観たかった。いいなぁこの観客のどこかに飯島くんいたんだよな、とDVDをプレゼントしてくれた男子を心の底から羨んだ。

「うーん、今度は私も絶対行こう……」

……って、いまは受験生だから当分無理だけど。次のライブの日程はすでに発表されていて、一番近い東京公演は来年一月の下旬だ。その頃は受験シーズン真っ只中ではあるが、追加公演が三月か四月にあるんじゃないかと久美子は睨んでいる。

(もし追加公演があれば、飯島くんも誘ってみようかな──)

趣味が合う人って貴重だ。それが好みのタイプの異性だったらなおさら。ギタリストの西にどことなく似た顔立ちの飯島は、外見もさることながら、控えめで謙虚な渋いキャラも久美子にとってはツボだった。

もっと仲良くしておきたい気持ちはある。けれど。

『ホントにそんなんじゃないから！　ただのクラスメイトだし』

飯島と同じ学校に通い、同じ学級に属する自分の旧友・恵麻のお言葉だ。久美子は先々週、学校からの帰宅途中に、電車内で飯島と一緒にいる恵麻と偶然出会った。

飯島が一足先に電車を降りたあと、久美子は恵麻に「今の彼と付き合ってるんでしょ?」と尋ねた。その答えが、これである。

……いやいや、絶対ウソ。実は声をかける前から二人のことを遠目から見ていた。

「恵麻に似てるな。でも恵麻にしては一緒にいる人が地味かな? めっちゃ仲良さそうだけど……。あ、やっぱりそうじゃん」って感じで。しかも自分たちの前に立ってる飯島の手荷物を「それ貸しなよ、持ってあげる」って甲斐甲斐しくお世話までして。

「見せつけてんのか」って若干イラッときたぐらいだ。

それで、こちらが軽く飯島に気がある風を匂わせてみたものの、あからさまに動揺してるのに、恵麻は頑として自分の気持ちを認めなかった。

『あいつ、全然モテないもん』

『やめといた方がいいんじゃないかな。あいつ、あんな見た目だし』

確かに、恵麻の言う通り飯島はいわゆるモテるタイプとは違う。制服姿は野暮(やぼ)ったかったし体格も小柄だった。中学のときもあの手の男子はいたけれど、目立たず女子からの評価は「いい人」どまりだったと思う。

だけど、大事なのは周りの評価ではなく、自分が相手をどれだけ欲しているかだ。恵麻が飯島のことを憎からず思っているのは確実だろう。

(「逃がした魚は大きかった」なんて、あとになって気づいても遅いんだよ……)

……恵麻の、素直じゃなくて口さがないところは相変わらずだ。そのせいで誤解されて、痛い目にだって何度も遭ってきたはずなのに。

まぁ、それでも昔に比べたらちょっとはマシになってきたのかな。久美子は記憶をたどりつつ、DVDをプレイヤーから取り出してケースにしまった。

久美子がもともと住んでいた世田谷から千葉に引っ越したのは、小学校四年生の一学期半ばだった。

友達と別れなきゃいけないし、遊びに行く場所が減るのもがっかりだ。だけど、父の仕事の都合じゃ子供には不可抗力だ。父と母とは「高校になったら都会の学校に通わせてあげる」との約束を取りつけて、泣く泣く住み慣れた土地を離れた。

転校初日の朝、母親と三学年下の妹と一緒に校長室へ挨拶に行き、その後職員室に立ち寄ると、担任となる教師が満面の笑みで久美子を出迎えた。若い女性教師で、先生というよりお姉さんのような印象だ。

「高師小へようこそ、久美子ちゃん。緊張してるかな？」

「おはようございます、先生。昨日は何度も時間わり見直しちゃいました。これからよろしくおねがいします」

久美子は丁寧にお辞儀をした。その後も引っ越し前の生活や、授業でどこまで習ったかなどを尋ねられ、そのたびに久美子は正確な敬語を使い言いよどむことなく答えた。肝心なのは、第一印象だ。前の小学校で何人も転入生を見てきたから、だいたいのポイントは心得ている。

大人には礼儀正しく、クラスメイトには出しゃばらず。それが早く馴染むためのコツなのだ。

予鈴が鳴って、担任が「そろそろ行きましょうか」と席を立った。職員室を出ると、担任が感心したようにため息をついた。

「久美子ちゃんすごく明るくてしっかりしてるから、先生安心しちゃった。久美子ちゃんなら、うちのクラスでも上手くやっていけそうね」

「しっかりしている」は今までも数え切れないほど言われてきた。だが「明るい」はどうだろう。前の学校ではどちらかというと「おとなしい子」という扱われ方だった。騙(だま)しているわけじゃないけど、ちょっと心が痛む。久美子はごまかすように尋ねた。

「どんな感じのクラスなんですか？」

「普通……って言ったらつまらないけど、何かに一生懸命だとか、ものすごくまとまりがあるとか、そういう感じじゃないわね。でも、授業妨害するような子もいないし、先生の立場としてはやりやすいよ」

この先生、若いからなのかずいぶんあけっぴろげなことを言うなぁ、と内心驚く。ただ、そこまで団結していないというのは、久美子にとってむしろ安心するポイントだ。仲が良すぎるところに後から入れてもらうのは気が引ける。授業中も、騒がしいより落ち着いて受けられる方が断然いい。

「あ、ただ一人、目立つ子がいてね」

階段の踊り場で先生がぴた、と足を止めた。同じように立ち止まって見上げると、先生は声をひそめて言った。

「『恵麻ちゃん』って言うんだけど、ちょっと気難しいっていうか……。可愛いから最初は男の子とかちょっかい出したがったんだけど、本人は結構クールで、『あっそ』みたいな態度なんだよね。だから、男の子も女の子も今は恵麻ちゃんのこと、ちょっと怖がってるフシがあるみたい」

（『可愛いけど怖い子』かぁ……）

自分とは仲良くなれそうにないけれど、一人ぐらいはそういう子がいてもおかしくない。事前に聞いておけば、心構えはできる。

先生が「これ、内緒だよ」と今さらながら付け加えた。先生が久美子を信頼して打ち明けてくれたのは十分伝わってきた。子供だって、対等に扱ってくれる大人が好きなのだ。久美子は「誰にも言いません」と言葉にして誓った。

「きっと根は悪い子じゃないから、仲良くしてあげてね」

……それはできるかな。久美子は笑って「がんばります」とだけ伝えた。


「はじめまして、『いそがいくみこ』です。どうぞよろしくおねがいします」

教室に入ると、黒板の前に立ってペコリと頭を下げた。たくさんの温かい拍手に迎えられ、ひとまずホッとする。

（さっき、先生が言ってた子って……）

何気なく教室の中をざっと見回すと、後ろの方の席でうつろな表情でまばらに手を叩いている女の子がいた。「いちおう合わせてるけど、べつにどうでもいい」と言いたげな態度だ。

早速嫌われちゃったかな……と怖気づくよりも早く、その女の子の容姿に目を奪われた。

（こんなにかわいい子が、こんなところにいるんだ——）

ここが「いなか」と蔑む気もないけれど。大きな目に白い肌、少し茶色がかった髪は日本人離れしていて、小学生の貧弱な語彙だと「天使みたい」としか例えられなかった。

この子が「恵麻ちゃん」だとすぐにピンときた。教室に入る前に予想していたよりも、ずっとずっと可愛かった。

ただ、事前に先生から聞いていたとおり、恵麻は性格まで天使というわけではなさそうだった。

彼女は感情を隠さず表に出してしまうタイプのようで、いつ見てもだいたい不機嫌そうだった。休み時間には「恵麻ちゃんと給食当番やるのすごいビクビクする」という声まで漏れ聞こえてきた。授業中の発言から察するに、恵麻は頭も悪くないようだった。

恵麻のことは気になる。だがやっぱり自分とは合わない気がする……。そんなことを考えているうちに、転校初日の授業が終わった。

前の小学校から使っているランドセルを肩にかけたところで、久美子の席に女子が一人、近寄ってきた。

（えっ、「恵麻ちゃん」⁉）

いきなり何の用だろう。やはり何か気に食わないことをしてしまったのかとドキッとする。

「ねぇ、新しい家ってどのへん？」

表情こそ笑顔はないが、恵麻の喋り方には意外な人懐（ひとなつ）っこさがあった。久美子は警戒心を半分ぐらい解いて答えた。

「すぐそこだよ。歩いて五分ぐらい」

「今日家に行っていい？」

「えっ」

「久美子ちゃんと遊びたいんだけど、ダメかな？」

どうやら恵麻は久美子に興味が出てきたらしい。友達を連れて帰れば親も安心するだろうと思い、まだ少しビクビクしながら「いいよ」と返事をする。

一旦恵麻と別れてから三十分後、久美子の家のインターホンが鳴った。出迎えた母親の「まぁっ！」という大げさな叫びが聞こえた。

「すっごい！　お人形さんみたい！　久美子のお友達よね？　うち、すぐわかった？　おなかすいてない？　おやつ何が食べたい？」

急いで玄関に向かうと、母親の質問攻めにたじたじになっている恵麻がいた。

「あの、久美子ちゃんと同じクラスになった『きたおかえま』です。おじゃまします。おやつは大丈夫です。おなかすいてないので……」

「あらまぁ、しっかりしてるのね。でも遠慮なんてしなくていいのよ？　和菓子か洋菓子だったらどっち？　たしかこの近所に美味しいって評判のケーキ屋さんが……」

見かねた久美子が「お母さん、昨日もらったびわゼリー食べたいな」と告げると、母親は「そういえばそれがあったわね」といそいそと台所へ消えていった。

久美子は新居の階段を登り、二階の自室へと恵麻を誘う。

「うわー、すごいおしゃれな部屋！」

……そこまで感激されるほどのものでもないが。マンションから一戸建てに越してきたことにより、妹たちと同じ部屋から一人部屋に格上げになった。だけど家具もカーテンも、イケアのショールームをほとんど完全にコピーしただけだったりする。

「久美子ちゃんって、服もおしゃれだし、さすが都会の人って感じ。いいなぁ、あこがれちゃう」

「そうかなぁ。でも、そう言ってもらえてうれしいよ」

「うちの方なんかいなかだしバカにされるかと思ってたけど、全然そんなことないし。お母さんも優しいし。思い切って声かけてよかった」

どうやら恵麻も緊張していたらしい。少しずつ、恵麻を身近に感じていく。

母親が用意してくれたおやつを食べて、二人でゴロゴロしながら恵麻が姉から借りてきたという『うらない大百科』を見ていたところで、久美子は「ねぇ、恵麻ちゃん」と切り出した。

「今日の朝、なんか嫌なことあった？」

朝から気になっていたことだ。久美子の質問に恵麻は「え？」と心外そうだった。でも気分を害した様子がないので続けて踏み込む。

「自己紹介しながらクラスの子のこと見てたんだけど、恵麻ちゃんなんか、怒ってるみたいな顔してたから……」

「怒ってなんかないし。でも、今日の朝はすっごい眠かった」

今度は久美子が「え？」と驚いてしまった。恵麻は少し口を尖らせて、言い訳を続けた。

「きのう、家に帰ったらいつもの麦茶がなくて。かわりにペットボトルのカフェオレ飲んだら、意外においしくて、たくさん飲んじゃったんだ。でもさ、久美子ちゃん知ってた？　カフェオレって飲むと眠くなくなるんだって」

「いちおう、聞いたことはあるけど……」

「そうなんだ！　あたし全然知らなかった。今朝お姉ちゃんに『夜中まで眠れなかった』って言ったら『それ、カフェオレのせいかもね』って教えてもらってはじめて知ったよ。久美子ちゃんって、物知りなんだねー」

なんだ、だからあんな顔だったのか。ホッとすると同時に、おかしさがこみ上げてきた。

先生が「気難しい」って言ってたから、勝手にビビっていたけれど、予想と全然違った。もしかして、クラスの子だけじゃなくて、先生も誤解してるのかもしれない。

（黙ってると怖く見えるだけで、本当はけっこうおもしろい子なのかも――）

「ねー、久美子ちゃんって何座の何型？　きょうだいで一番上、真ん中、一番下ならどれ？」

「おうし座のA型、三人姉妹の一番上だよ」

久美子が応えると、恵麻は本をパラパラとめくって占いの結果を読み上げた。

「……ラブ運は、『ちょっと変わった子と相性◎。意外な出会い方をするよ』だって」

「恵麻ちゃんのばあいは『モテモテだけど、好きな子にだけ好きって言えない。もっと素直になって』って書いてある」

「えー、意味わかんない。好きなのに言えないってどういうこと？　ふつーに言えばいいじゃん」と恵麻が不服そうに呟く。

「やっぱこの本、当たらないのかな。昔の本だからいいかげんなこと書いてあるのかな……」

疑いの眼差しでページをめくっていた恵麻が、突然「あっ！」と声を上げた。

「あたしと久美子ちゃんの相性はばっちりだって！　やったぁ！」

本に書いてあるたった一行だけでそこまで喜べるなんて。そんなに自分と縁があることが嬉しいのか。いじらしさに、胸がきゅっとなる。

「やっぱこの本すごいよ！　明日、学校に持っていって他の子のやつも調べてみようよ！」

（あ、クラスの子とも、ホントは仲良くしたいんだ……）

嬉しそうに恵麻がはしゃいだところで、久美子の心は完全に落ちた。

本当はクラスの中で目立たないようにしようと思ってた。けど恵麻と仲良くすれば注目されるだろう。でもいい。

「他の子にどう思われても、私は恵麻ちゃんの友達だよ」と心に決めた。


それから恵麻と久美子は急速に仲良くなった。以後のクラス替えではついぞ一緒になることはなかったが、中学では同じ吹奏楽部に所属していたし、放課後はほとんど同じ時間を過ごしていた。

何かと目につきやすい上、意外に毒舌な恵麻にはトラブルがつきものだった。そんなとき皆に一目置かれている久美子が間に入ることで場を収めたのは一度や二度ではない。「恵麻ちゃんと親友って大変だね」と言われることもあったが、可愛くて密かに人気のある恵麻に頼られることは、久美子にとっても悪い気分ではなかった。

だが中学校三年のとき、恐れていたことが起こった。それは、学校生活の中でも最大級のイベントである修学旅行中の出来事だった。

季節はもう少しで入梅となる六月。行き先は関東にある公立中学にしては遠めの富山・石川。二泊三日の日程で、主要な観光地を駆け足で巡る。

一日目に立山黒部アルペンルートを巡ったあと、富山市内のホテルで一泊した。二日目、金沢市内に移動しての午後は、お待ちかねの自由行動の時間だ。金沢市街をグループに分かれて散策する。

久美子はクラスメイトの女子五名とグループを組み、美術館、兼六園、茶屋街など定番のコースを巡る予定となっている。空は厚い雲に覆われていて、いつ雨が降り出すかわからないどんよりした天気だった。

最初の目的地は金沢21世紀美術館だ。体験型の美術館にて現代アートに五感で触れ、「意味分かんない」「これかっこいい」などと喧しく言い合いながら一周したところで外の光景が目に入った。

ガラス張りの壁の向こう、出口付近のベンチに、同じ制服の女の子が一人俯いて座っている。サラサラの長い髪を二つ結びにした女の子。

あれは恵麻だ。見間違いようもない。尋常でない恵麻の様子に、久美子はすぐに建物を飛び出して駆け寄った。

「恵麻、どうしたの？　他の子たちは？」

ぶるぶる、と恵麻が無言で首を振る。

はぐれてしまったのか、置いてけぼりにされたのか。でもそのわりには焦った様子もない。

久美子は「そうだ」と思いついた。旅行にはスマホ・タブレットの類の持参は禁止とされていたが、自由行動中は各班に一台だけ連絡用の携帯電話が配布されている。

「そしたら、うちの班のケータイで先生に電話して、恵麻の班の子がどこにいるか聞いて……」

他のメンバーを探しに行こうとしたが、制服の背中を恵麻にぎゅっと掴まれた。

「えっ、ダメなの？」

振り返って尋ねるが、恵麻は下を向いたまま何も言わない。

……弱った。何があったのかもわからないし、かと言って恵麻を置いていくわけにもいくまい。

「くみくみ、待たせたな。それじゃ、そろそろ次のところに移動……」

「あっ……、リーダー」

久美子を呼びにクラスメイト（「リーダー」はあだ名で本名は渡辺）が現れた。あだ名どおり、さっぱりとして気っ風の良い女子だ。

久美子は恵麻に「ちょっとごめん」と断ると、少し離れたところでリーダーとこそこそ話を始めた。

「ん、何があったの？　あの子、三組の北岡さんだよね」

「私もよくわからないんだけど、いまちょっと一人ぼっちになっちゃったみたいで」

「ああ～……、うーん……、まぁあの子、いろいろあるっぽいもんねぇ……」

久美子の前での明言は避けたが、リーダーは恵麻の背景からいろいろ察したようだ。

「わかった」と頷くと、久美子の肩をぽんと叩いた。

「そしたら、くみくみはしばらくあの子についてあげててよ。私たちはしおりの通りに行動するから、あとで合流ってことで。最悪、集合時間に間に合えばいいから」

「えっ、いいの？」

「本当はよくないんだろうけどさ。うちらの班、先生からも信用されてるし、もし見回り中に先生と会っても適当にごまかしとくから。うまくやんなよ」

まるで逢い引きを手助けするときのような言い方だ。リーダーに「この埋め合わせは必ず」と言うと「来月の声優イベントの握手会に一緒に行ってもらう」と返された。

久美子はリーダーを見送ると、恵麻のいるベンチに戻り、彼女の隣に座った。

「恵麻、私も別行動にしてもらった」

恵麻が驚いたように顔をあげる。目が少し赤くなっていた。泣いていたのかもしれない。

「ごめん……、あたしのせい？」

「いや、私がしたいからそうしたんだよ」

「でも……、久美子のクラスの子たち、怒ったりしない？」

そんな風に心配しなくてもいいのに。詳しい事情はまだわからないが、辛いときでも相手のことを思いやる気持ちがいじらしい。

きっと、恵麻だって修学旅行を楽しみにしていたはずだ。

旅行用のかばんを買って、お土産用のお小遣いためて、どこに行こうかってリサーチして……って。いま履いているスニーカーだって、真っ白が眩しいおろしたてだ。

それなのに、一人にされるなんて。いくらなんでも、恵麻がかわいそうだ。

「うちの班の子は大丈夫。それより恵麻、お小遣いってどれくらい持ってきてる？」

恵麻は訝しがりながらも、ごにょごにょと小声で答えた。

予想より多い。さすがやり手女性経営者の娘だ。それだけあれば十分だと、久美子はほくそ笑む。

「それじゃさ、金沢に来たらやりたかったことしたいんだけど、付き合ってくれない？」

「いいけど……、なにするの？」

「いけないこと、とだけ言っておこうかな」

恵麻の顔が少しひきつった。でもまだ内緒だ。言ってしまったらつまらない。

「せっかくの旅行なのに、あれやっちゃダメ、これしちゃダメって、ちょっとうるさいと思わない？」

「……思う」

「ね。だからさ、私たちだけで、オトナしかできないような楽しいことしちゃおうよ。クラスのみんなには、絶対内緒だよ」

久美子は意味ありげに笑うと、髪を結んでいたゴムに手をかけ、ポニーテールをほどいた。

日中でも薄暗い路地を進む。どことなく時代がかっていて雑多な光景は、温泉もののアニメ映画や行ったことのない香港(ほんこん)の街並みを連想させた。往来は少し、生臭い。行き交う人々の目を避けるように、奥まった場所にある店の引き戸を開ける。中には大人ばかり。ここはおどおどしちゃいけない。大丈夫、お金は十分ある。自分たちの番がきたら、堂々としていればいい――

どうぞ、と席に通される。久美子は高鳴る鼓動を感じながら、足のつかない椅子に飛び乗った。

「へイらっしゃい！　お客さんたち、何握る？」

「そうですね、おまかせって言いたいところなんですけど、握りの百万石(ひゃくまんごく)コースでお願いします♡」

「はいよっ！　となりのお嬢ちゃんは？　同じのでいいかい？」

「え……、あ……、はい……」

恵麻が呆気にとられながら返事をする。

　久美子が恵麻を伴ってやってきたのは、市場（いちば）の中にあるお寿司屋さんだった。狭い店内には、カウンター席だけ。ベルトコンベアも積まれた小さな皿もない。

「さっき言ってた『イケナイコト』って……」

「これのこと。来る前にガイドブック見たんだけど、ここのお店の握りがちょー美味しそうでさ。でも班のみんなで行こうとは言えないでしょ？　生物（なまもの）ダメな子いるし、みんながお小遣いたくさん持ってこられるわけじゃないし」

　一応今の時間は「自由行動」と銘打ってはいるが、どこへ行くかの予定表の提出が義務付けられていて、先生からのチェックも入る。軽食程度なら問題ないが、基本的に飲食店へ行くことは許可されていない。このような高級店ならなおさらだ。

「はいっ、まずはカニ、赤西貝（あかにしがい）、アジだよ！」

　威勢のいい板前が、久美子と恵麻の前にある寿司下駄に握りをぽんぽんと置いた。

　まずは一口、お茶で喉を潤してから手をつける。

「んーっ、おいしいっ！」

　ほどよく締まったプリプリのカニ脚が、口の中でとけていく。濃厚だけどしつこくない。この一貫だけですでに来てよかったと感じている。

「どう、恵麻、食べないの？」

声をかけると、隣に座る恵麻は恐る恐る呟いた。

「ホントに、いいのかなぁ……」

「ここまで来て今更じゃない？　食べたって食べなくたって、バレたら怒られるんだし。だったら楽しい思いした方がいいでしょ」

久美子は詭弁を弄した。

先生方は生徒たちと他の観光客のトラブルが何よりも怖いのだ。高校生にもなれば自己責任にもなろうが、自分たちはまだ義務教育の範囲内だ。何かあれば先生たちの責任になるから、過剰にうるさくなるのだろう。

要は、うまくやればいいのだ。別に違法行為をしているわけじゃないんだし、こっそり楽しんで、こっそり戻る。「あのとき実はこんなことしてたんだー」などとこれ見よがしに自慢しなければいい。雉も鳴かずば撃たれまい。その意味でクラス内に友達が少ない恵麻は、同伴者として適任だったりする。

恵麻は覚悟を決めたように、割り箸を割ると握りをつまんで、口の中に押し込んだ。もぐもぐと咀嚼しているうちに、恵麻の目に輝きが灯った。

「おいしい……！」

「でしょー?」

自分が釣ったわけでもないのに、何故か久美子は得意になって「こっちの貝も美味しいよ」と指し示した。

「これもすごい……。今まであたし、貝苦手だったんだけど、全然思ってたのと違うね」

にわかに盛り上がる二人の前に、シラスよりも一匹一匹が少し大きいが、よく似た形状の軍艦巻きが置かれる。

久美子は物怖じせず板前に尋ねた。

「なんですか、これ」

「白えびだよ。お嬢ちゃんたち、初めてかい?」

「はい。千葉から来たので……。向こうではあんまり出てこないです」

すると、板前は「富山湾の名物だよ」と親切に教えてくれた。

よく見ると透き通った体はエビの形をちゃんとしている。

こういう見た目がダメな子もいるからな……と心配して横を見ると、恵麻は臆せずにパクっと口の中に放り込んでいた。

「あ、すごい。一つ一つちゃんとエビの味と食感がする。なんだろう、結構甘いね」

……しっかり食レポまでしちゃって。だいぶ元気が出てきたのかもしれない。

二人の歓声に気を良くしたのか、他の板前が笑顔で近づいてきた。

「はい、かわいいお嬢ちゃんたちには特別サービス！　のどぐろだよ！」

「ええっ、いいんですか⁉　ありがとうございます！」

のどぐろは別名・アカムツという北陸を代表する美味の一つだ。なんのことだかわからず首をかしげる恵麻に「すっごい高級魚だよ」と興奮気味に教えた。

「なにこれ……！　めっちゃ濃厚！　おいしい！」

「ねーっ、飲み込むのがもったいないよね！」

一人前をぺろりと平らげた二人は、店員に何度も礼を述べ大満足で店を後にした。

ここに来る前と後では、恵麻の表情は別人だ。美味しいものには悩みを忘れさせてくれる力がある。

それじゃぁ、もう一軒行っておくか。お伺いを立てると、恵麻は「のぞむところだ」と即座に応じた。

寿司屋の次は、これまたガイドブックで目を付けておいたフルーツパーラーに向かった。

場所は近くなのですぐたどり着いたが、観光客だけでなく地元民にも人気のようで、席に案内されるまで三十分以上並んだ。

棒ほうじ茶と、季節限定のさくらんぼパフェを一つずつ頼む。久美子の正面の席には、いつのまにか二つ結びを解いていた恵麻が座っている。

「うわ、超すごいのきた！　さすが久美子。いいところ知ってるね」

大量の佐藤錦がきらめくパフェを前に、恵麻はふにゃふにゃと相好を崩した。機嫌はだいぶ良くなったようだ。

恵麻はデジカメで何枚も写真を撮ってから、パフェに舌鼓を打った。今ならもう大丈夫だろうか。久美子はいつぞやのように静かに尋ねた。

「あの……クラスの子と何があったか、聞いてもいいかな」

恵麻はやや表情を曇らせながら、「うまく言えないかもしれないんだけど」と前置いてから語りだした。

「昨日の夜……、うちのクラスの男子が、夜に部屋で寝る前に、『同級生の女子なら誰がいい』とか『こういう女の子がタイプ』とか、そういうのやってたみたいでさ」

「ああ、『雨夜の品定め』的な」

「あま……、なにそれ？」

『あさきゆめみし』（源氏物語を原作とする漫画）に出てきた、複数の男子が女性の好みを言い合う場面。解説するものの、恵麻はあまりピンと来てなさそうな顔で「そうなんだ」と流した。

「とにかくその、『しなさだめ』で、何人かがあたしの名前言ってたみたいでさ」

……まぁ、そう来るだろうな、と思っていた。久美子は茶々を入れずに続きを促した。

「そのうちの一人って、実はうちの班の子が密かに好きな男の子だったみたいで」

「なんで、それが女子の方にもバレてるの？」

「たぶん、他の男子が夜のことうっかり言いふらしたんだろうね。朝には全員知ってた。どう思うって聞かれたから『別に、好みじゃないから』って言ったんだけど、全然効果ナシで。そこからまぁ……雰囲気最悪で、一緒にいるの辛いから別行動にしてもらった」

恵麻は大きくため息をつくと、イヤイヤをするように顔をかくした。

「なんでだろうね。別にあたしが『言ってくれ』って頼んだわけじゃないのに……。

その男の子とも、そんなに仲良くないし。なんか、あたしもそいつのこと好きみたいな噂もあるみたいなんだけど、ただちょっと帰り道で一緒になったとか、それぐらいなのに」

「そうなんだ。難しいね……」

一応同意をしたものの、久美子には分かっていた。単純に嫉妬心のみで仲間外れにされているわけではないと。

恵麻は「仲いい子がいない」とクラス替え当初から言っていたし、その後特に誰かと仲良くなったという話も聞いてない。そこへ来て弁解のつもりで言った「別に、好みじゃない」というセリフも、上から目線だと受けとられたのかもしれない。容姿が優れてる者は、少しでも棘のある態度をすれば「いい気になっている」と思われてしまうのに。

「……しっかし、修学旅行にシカトするとか、恵麻のクラスの子、なかなかエグいことするね」

今回の修学旅行の準備をするにあたって、親や塾の講師から「自分はどこそこへ行った」「こんな事件があった」などと様々なエピソードを聞かされた。みんな何十年も昔の話のはずなのに、いずれも事細かで、まるで昨日のことのように語っていた。

つまり、修学旅行の思い出は一生モノになるかもしれないのだ。恵麻のクラスメイトがどれだけ先を見通して彼女を除け者にしたのかは分からない。だが「軽い気持ちで」で済まされることではないだろう。

「でも……」

恵麻が呟く。

目が合うと、恵麻はパフェ越しに、大きな目を細めてはにかんだ。

「久美子のことひとりじめできたから、ラッキーかもしれないな、って思った」

殊勝な言葉に、胸がきゅんと痛くなる。

……それが嘘だとは思わない。寿司もパフェも美味しくて結果オーライではあるが、本当は何事もなくクラスメイトと共に過ごすに越したことはなかっただろう。

口の端にクリームをつけたままの恵麻と、丸く小さいさくらんぼが重なる。甘くて少し酸っぱくて、後を引く小さな実。子供と大人の間をさまよう恵麻と、旬を迎えたばかりの果実はよく似ていた。

「ねぇねぇ。このあと、お土産物買いに行きたいな」

恵麻が思い出したように申し入れてきた。もちろんそれぐらい構わない。久美子も自由行動中に行っておきたいと思っていた。

「ちょっと悩んでるから、久美子が一緒に選んでくれると心強いかも。同じ中学出身だと、たぶん旅行先も一緒だよね」

「ん？　お姉ちゃんのこと？」

「いや、そうじゃないんだけど……」

急に口ごもるその様子から、久美子はすぐに思い直した。

（平山さん、か）

何週間か一回吹奏楽部の指導に来る、ＯＢの大学生だ。

柔らかい物腰と落ち着いた態度、清潔感のある外見で、同級生・下級生問わず人気が高い。恵麻も平山を前にすると急にソワソワする。前から「たぶん、気があるんだろうな」と思っていた（ただ、自分にはそこまでツボらない）。

しかし、平山はおそらくまともな大人だ。恵麻がどれくらい平山に本気なのかは不明だが、例え告白されたとしても相手が中学生なら断るだろうし、ＯＫするような人間ならそもそもやめておいた方がいい。

だから、彼女の想いはきっと、行き場をなくしてしまうのだろうけど――

「恵麻」

でれでれと思い悩んでいた顔を上げて、恵麻がこちらを見る。そのあどけない瞳に、思わず口から言葉が出た。

「あのさ……、好きだよ」

「なっ……、何言ってんの」

恵麻の顔がゆでダコになる。けれど「嘘だよ」なんて取り消す気にはなれなかった。


お土産を買い込んでから、集合場所となっているホテル近くの広場へ戻る。いまにも降り出しそうだった雨雲はいつのまにかまばらになっていた。

「今日は楽しかったー。なんか、いろいろ嫌なことあったけど、お寿司とパフェのこと思い出したらしばらく頑張れそうだよ」

そう言ってもらえると、連れ出した甲斐があるというものだ。本当は自分の行きたいところを回っただけだけれど、味覚が一緒なのはありがたい。

恵麻は「そうだ」と言って足を止めた。振り向きざまに、さらさらの髪が傾きつつある太陽の光に透けた。

「言ってなかったね。あたしも、久美子のこと大好き」

不意打ちを喰らい、再び胸の鼓動が高まる。無邪気な笑顔に、出会ったばかりの頃を思い出した。

『ねぇ、新しい家ってどのへん？』

転校初日のあの時から、ずっと一緒だった。

先生にもクラスメイトにも、「ちょっと怖い子」と誤解されていた恵麻はきっとさみしかっただろう。自分も、新しい学校に馴染めるかの不安があったけれど、恵麻がいたおかげでほとんど感じずに済んだ。

自分も恵麻も、お互いに出会えて本当にラッキーだった。だから、自分だけは何があっても恵麻の味方でいようと決めたんだ——

そう、思っていたんだけど。
「まさか、あんなちょうどいい男子があの高校にいるとはねぇ……」
以前恵麻が熱を上げていた平山のような大人ではない。だが他人を思いやる気持ちがあるあたりはさみしがりやの恵麻にぴったりだ。朴訥（ぼくとつ）としているけど空気が読めない方じゃない（むしろ過剰に読む方かもしれない）し、同じ学校だから共通の話題もたくさんあるだろう。

それになにより、楽しそうだったんだ、飯島といるときの恵麻の顔が。正直ちょっと、飯島にジェラシーを覚えるぐらいだった。

結局自分にとって、恵麻は「推し」に近いのかもしれない。誰より幸せになってほしくて、悪いところいいところひっくるめて好きで、恋愛感情とは違うんだけど、その人からもらえる愛情の多寡で嫉妬してしまう。あんまりベタベタしすぎるのもどうかと思い、恵麻と同じ高校には行かず幼少期からの夢を選んだけれど、彼女が高校でうまくやっているかずっと気になっていた。

とはいえ、あの二人が本当にお互いのことをなんとも思っていないなら、そのときは自分も正直になろう。今度は冗談だとごまかさずに、彼に「私が彼女になるよ」と真剣に伝えよう。そのためにも、ダラダラと引っ張ってないで収まるところにちゃんと収まってほしい。

「早く気づけよ、飯島靖貴……」

パソコン内のフォルダ中から、カチカチと写真を選択してはＣＤ－ＲＯＭドライブにドラッグしていく。選んだ写真はどれも、恵麻がとびきり可愛く撮れている逸品ばかりだ。

ライブＤＶＤのお礼として、このＣＤ－ＲＯＭを渡そう。

自分が見てきた六年間をしっかり受け止めてほしい。そう願いながら、写真フォルダに「Ｅ」の名前を付けた。

ぼくは恋愛ができない

「きむ、やったよ。『イノスケ』、文化祭で体育館の枠取れたってさ」

ＨＲが終わった放課後、教室を出た木村晋の元にバンド仲間の式守が駆け寄ってきた（ちなみに『イノスケ』はバンド名。式守と同じ名字の立行司から付けられた）。

晋は不意打ちに戸惑いつつ「お、おお」と返事をした。

「たしか一枠三十分だよね。そしたら、コピーしやすそうなのがいいよね。スコショの曲とか、やりたいけど」

「スコショか～。いかんせん知ってる人少ないから盛り上がりが心配やろ。っていうかじつは俺、この日のために曲つくってて……」

おしゃべりしながら部室へ向かう。階段を下る二人の前から、スカート丈の短い女子が階段を登ってくる。

（あ、あいつ……）

また髪の毛が明るくなっているし、今回はグラデーションまで入っている。変化に気づいたもののすぐに目を逸らし、内心緊張しながら階段を下り続けた。

「……」

グラデーションヘアの女子は、特に晋の存在に意識を向けることなく過ぎ去った。よかった今回も無傷で済んだ、と野生動物に遭遇したかのようにホッとする。

「なあ、なんで可愛い子に限ってあんな派手なナリすんのかね？　俺的にはもっとおとなしめの方が好みなんやけど」

式守がすれ違った女子の方を軽く振り返って言った。できれば、そういう話はもうちょい小声でしてほしい。

「まぁ、でも俺の好みなんかどうでもいいぐらいモテるからええか。この前もうちのクラスの奴が、恵麻ちゃんにコクって振られたらしいんよね」

「へー。そうなんだ」

そっけない晋の口ぶりに、式守は不可解そうに眼鏡の奥の眉を上げた。

「前から思ってたんだけど、きむってあんまりあの子の話題に乗ってこんよな。なんで？　個人的になんかあった？」

どきっ。

できればあんまりその辺ツッコんでほしくないんだけど。

「いやー……、ああいう、なんか、ツッパってそうな女の子、怖くて」

半分本音を混ぜて答えると、式守はエラの張った顔に皺を寄せて笑った。

「ツッパってるって。校則違反ならお前も負けとらんやろ。耳に穴あいとるし、学ラン着とるとこなんかみたことありゃせんし、髪だってメッシュはいっとるよな。厳しい高校だったら今頃とっくに停学になっとるわ」

まぁ、そうなんだけど……とお茶を濁す。式守の関心が自分に移り、晋はそのまま話を合わせた。

（ごめん、実は、お前に言ってないんだけど……）

式守どころか、学校の誰も知らないが、さっき通り過ぎた北岡恵麻と自分は幼馴染だった。

母親同士が高校の同級生で家が近いというよくあるパターン。特に北岡家の次女・恵麻と一人っ子の晋は同い年であり、幼い頃は母親につれられてお互いの家をちょこちょこと行き来していた、が。

『こんなかんたんな本もよめないって、しんくんってバカなの？』

『オバケなんかいるわけないじゃん。いちいち泣かないで！』

『おっそーい！　またころんだの？　もうおいてくよ！』

……小さい頃の恵麻はそれはもうキツかった。もっとひどい言葉も投げつけられたことがあるが、ここでは省略しよう。

当時は小柄でおとなしく、頭の発達も早くなかった晋にとって、小賢しい恵麻は天敵にも等しかった。それなのに、泣かされても何をされても大人たちは「仲がいいのねぇ」なんて笑っていて、今思い返しても非常に理不尽だったと思う。

そして、恵麻と晋が小学校に上がる前のこと。母親の実家に身を寄せていた北岡親子は近隣の市の駅前にマンションを買って引っ越し、晋とは疎遠となる（母親同士はたまに会っていたようだが）。その後の晋は学友に恵まれてすくすくと育ち、チビの泣き虫だった過去は遠い昔のこととなった。

なのに、まさか高校で再び一緒になってしまうとは……。入学して、恵麻が同学年にいると気づいたときは、幼い頃の失態を言いふらされるのではないかと気が気でなかった。

中身とはうらはらに美しく成長した恵麻は、しかし幸いなことにこちらになぞ全く興味がないようで、晋と彼女が知己(ちき)であったことは二年生の秋現在でも誰一人知る者はいない。もちろん今後も、迂闊に恵麻と関わるつもりはない。

「そういやさ、きむの好みってどんな感じなん？　そんだけイケメンだと、もう女の子に飽きちゃってるとか？」

「あ……、いや、それよかさ、曲作ってるってどんなん？　全然しらなかったんだけど」

明らかに逸らした話題だったが、式守は「待ってろすぐに聞かせちゃる」と前のめりで乗っかってきた。

（さすがにアレはないよなぁ……）

学校を出て駅に向かう道すがら、晋は「初号機」と揶揄されることもある長い脚を繰りながら考えた。

普段は自転車で通学することも多いが、今朝は母親が私用ついでに学校まで車で送ってくれたので、帰りは電車だ。

軽音部の練習時間で披露された式守自作の新曲は、メロディこそは好評だったものの「歌詞の出来が偏差値２」「『ヘロー　ヘロー　ヘロヘロ？』って何？」「スメルズライクだろ」「ざけんなカート・コバーンに謝れ」「いっそのこと南総高校あるあるの歌詞にするか」とその歌詩を巡り白熱の議論が繰り広げられた。

『じゃかあしいいい‼ だったらお前らが作詞してみろやクソがッ‼ この頭でっか

ちのうすらトンカチ!!』

式守が涙まじりでキレたことにより、その場はさらに混沌とした。確かに文句を言うのは一流で、実のある意見を出すのは不得手という同級生が多い気はする。

誰か、作詞が得意な者はいないか……心当たりが全くないことにため息をつきつつ、学校の最寄り・小琳駅にたどり着く。

「君たち、危ないじゃないか！」

「うっせーころすぞ！」

耳障りな怒鳴り声がしてハッとした。

駅の構内をイキリちらした中学生ぐらいの男子が、自転車で危険運転をしていた。

（なんだ、あいつら……）

治安が悪いな、と呆れる。そんなに有り余るパワーがあるなら、スポーツでも仏像づくりでもなんでも打ち込んだら良いのに。

遠巻きに見つめていたが、運悪く駅前商店街からでてきたＯＬさんと、女子高生が歩いていたところに突っ込んでいく。

あぶない、と目をそむけるよりも早く、キキーっと甲高いブレーキ音が鳴り響く。

「邪魔だ！　どけよブス！」

最後尾の自転車と接触した女子高生が床に倒れ込んだ。

「どこ見てんだよだせぇ」

「うっせーなちょっと待ってろよ！」

輩たちは女子高生へ謝ることもせず、駅構内を蛇行しながら騒いでいる。迷惑行為の範疇を超えた蛮行に、晋もさすがに怒りが湧いた。

（そのまま見て見ぬ振りするのが賢いんだろうけど……）

自転車がこっちにくるとしたら、今自分が立っている辺りを通るだろう。晋は持っていたミネラルウォーターのキャップを外すと、体で陰になるようにしながら中身をぶちまけた。

何食わぬ顔で改札へ向かう晋と入れ替わるように、輩たちが駅構内から出ていく。

「おいこれからどこ行く……ってあぶねっ！」

背後で派手な音がした。どうやら自転車がころんだようだ。自転車は玉突き事故にでも続けてガシャン、ガシャンと鋭くて重い衝撃音がする。

あったらしい。次いでドスの効いた怒声が響く。

「おいっ、お前らさっきうちの車パンクさせただろう！　ガキだからって容赦しねぇぞ！」

……なんだか大事になりそうだ。

晋は「あっしには関わりのねぇことでござんす」という態度をしながら、そそくさと人混みに紛れる。すぐそばでさっき自転車に接触された女子高生が床にへたりこんだままでいた。

「大丈夫？　こわかったよね。立てる？」

ＯＬさんが優しく話しかける。冴えないシルエットをした女子高生は、長いスカートの中の脚を折りたたんで、ＯＬさんの腕をかりてゆっくりと立ち上がった。

「さっきの男の子、きっと邪魔だって私に言ったんですよ。だから、気にしないでね」

ＯＬさん、やさしいなぁ……と思いながらふと女子高生の方を見る。

あちこちにはねた髪、炎症の多い荒れた肌、ボサボサの眉毛。もっさりとした雰囲気ではあったが、そのミーアキャットに似た顔立ちには見覚えがあった。

「もしかして、ヤナさん？」

晋の問いかけに、女子高生が呆気にとられた顔をする。

「えっ、タロー⁉」

ああ、昔はそんな風に呼ばれたこともあったな、と懐かしさが瞬間的にこみ上げた。

「ひさしぶり。ダイジョブだった？」

知り合いとの久々の再会。ＯＬさんは「それじゃ、私はここで」と言って立ち去ってしまった。

「なんで小琳にいるの？　確か学校もっと上りの方だよね」

晋の記憶が確かなら、彼女は東京寄りの学校に進学したはずだ。ここ小琳駅は、柳井にとって居住地と学校の間（と言ってもだいぶ自宅寄り）にあたる。

「ちょっとおばあちゃんにお使いたのまれて……」

「あ、そっか。お使いおわった？」

「え？　あ、ああ」

遠くからはまだ不穏な怒声が聞こえている。

「電車、もうすぐきちゃうよ。行こう」

晋は柳井を伴って、逃げるように改札の中へ駆け込んだ。

『タローくん……、生徒会役員は一応生徒たちの模範になるように、と言われているんだけど。学校帰りの買い食いをそんなに堂々とされると、私も困っちゃうよ』

『あっ、やべえ……じゃない、アリス会長お疲れさまです！　どうか先生には内緒で……』

『下の名前で呼ぶのはやめて柄じゃない。あれ、なんだか急に今、猛烈にパピコが食べたい気分になってきた……』

『いやぁ偶然ですね、僕もいま買ったばかりなんです！　柳井会長、一本ずつ食いましょう！』

　中学二年の頃、晋は何故か生徒会役員をつとめていた。特にやりたかったわけではなく、クラスから一名生徒会役員選挙に立候補者をださなくてはならず、学級会のときにぼんやりしていたら担がれてしまい、そのまま当選してしまった。

「生徒の自治権」などないに等しい一介の公立中学。「生徒会」とはニアリーイコール「年中行事の際の雑用係」で、物語に出てくるキラキラの存在とは全く別物だった。

　そして、そのときに会長だったのが一年先輩の柳井杏子（ありす）だ。やはり彼女も、他の人がやりたがらない面倒事を引き受けてしまう性格で、みずから望んでなったわけでもないようだった。

真面目を絵に描いたような外見の柳井だったが、定期的に接しているうちに徐々に冗談も言うタイプだと分かってきた。柳井が引退する頃には、敬語も使わなくなるほど仲良くなった。

「タロー、南総高校なんだね。ちょっと意外だよ」

タロー、とは生徒会の担当教師が同じ「木村」だったことから、区別するために付けられたあだ名だ。自分の名前を「シンタロー」といっつも呼び間違える先輩がいて、そこから定着してしまった。

「いやー、あんまり遠い高校行きたくなくて。なんとかギリギリ受かったよ。おかげで今は下から数えた方が断然早いぐらい」

「まだ二年だからどうにでもなるよ。しっかし、外見もなんか変わったねぇ……」

柳井と一緒に生徒会をやっていた頃はもっとずっと髪が短かったし、身長も高い方ではなかった（ちなみにバスケ部だった）。

中三から高一にかけて急激に背が伸びて、体のあちこちが痛くなり、せっかく買った高校の制服もキツくなった。晋が高校の制服である学ランをあんまり着ないのは、ダサいのが嫌というのもあるが、シンプルに「キツい」という理由も大きかった。

「ヤナさんは？　三年生だから、受験するの？」

「実は指定校推薦で、もう決まったんだ。ラッキーすぎて周りの受験生にちょっと申し訳ないかも」

「すげー、いいな、超余裕じゃん」

柳井は「へへっ」と照れくさそうに笑った。

（さっき見たときは、ずいぶん雰囲気変わったなぁ、って思ったけど……）

こうやって喋っていると、ちょっと肌が荒れてて髪がボサボサなだけで、中身はあまり変わっていない。きっと、先ほどはたまたま一日の疲れが出ているところだったから暗く見えたんだろう。

高校のある小琳駅から下ること二駅、晋たちの地元・玉前駅に着いた。

電車の終点でもある駅で、二人はシートから立ち上がる。

「それじゃ、タロー、勉強がんばってね」

「ヤナさんも、またね」

逆方面に用事があるという柳井と、手を振って改札で別れる。さっくりとした別れだった。

一人になり、スマホに手をのばす。新着のメッセージが一件あった。母親からだ。

木村寧々：ごめん、帰りにいつものトリートメント買ってきて～♡　洗い流さないやつね！

……この手のお願いは聞いておかないと、母親の機嫌はすぐ悪くなる。家庭の平和のためにも、晋は「わかった」と返事を送った。

小琳の駅前で買ってくればよかったな。そう思いながら、駅を挟んで反対方向にあるドラッグストアに行くため、今来た道を引き返した。

しばらく歩くと、ドラッグストアの薄いピンク色の外壁がお目見えした。

すでに暗くなり始めた周囲とは対象的に、店内は明るく眩しく、晋は反射的に目を細めた。

（えーっと、ヘアケア用品って……）

この辺かな、と通路を歩く。化粧品・美容用品がずらっと並ぶコーナーへ向かうと、先客が一人背中を丸めて陳列棚の前でしゃがんでいた。

「あ」

思わず声が出た。晋の声に反応するように、先客がこちらを振り向く。

「え」

間抜けな再会に、柳井と二人ほぼ同時にプッと笑い出す。

「さっき別れたばっかりなのに」

「だね。俺もいまそう思った」

ひとしきり笑い合うと、晋は「ちょっとごめん」と断って、柳井の真ん前に陳列してあった四桁値札のヘアトリートメントに手を伸ばした。

「えっ、それ使ってるの⁉」

「いや、頼まれたんだって。母親に」

「だよね。あー、びっくり……」

「あ、でも俺も週一ぐらいでつかわせてもらってるか。柔らかくなって、ツヤが出るんだよね、これ」

柳井は少しの間ののち、ふるふると首を振り、うなだれた。

「どうしたの」

「いや……己の女子力の低さが不甲斐(ふがい)なくて……ちょっと……」

テンションが急に下がった。自分の言動や行動が何かしらの劣等感を刺激してしまったらしいが、そんなつもりは毛頭ない。

「値段高けりゃいいってもんでもないよ。つうか、女子力ってよく聞くけど、そんな変な言葉、別に気にすることなくない？」

「それはそうなんだけど……」

まだ何か言いたそうだったので、「だけど？」と続きを促した。

「いや、ちょうど周りの女の子たち見てて、自分とは全然違うなぁって思ってたところなんだよね……」

自虐的に柳井が笑う。

確かに、今はあんまり外見に気を使っている風にみえないけれども……。なんだかもやもやする。

「まぁ、私なんかが見た目よくしようって思ったってしょうがないんだけどさ……」

「なんでそんなこと言うの？　なりたい気持ちがあるなら、やってみりゃいいじゃん」

柳井の頬がビクッとひきつる。でも生意気かもしれないがこの際だから言わせてもらおう。

「見た目に気を使うこと、チャラチャラしてるとかってバカにする人もいるけどさ。外見って毎日自分が見るもんじゃん。そしたら、少しでも自分の好みにカスタムしたいって思うのって自然なことじゃない？」

……いまここの売り場にいるということは、少なくとも何かしらの手入れをしてみようと思っている意志の現れではないだろうか。何故その気持ちを隠すのだろう。

少しピリついた空気を和ませるため、「なんてね」と笑ってごまかす。柳井は困ったようにはにかんで、色とりどりの商品が所狭しと並ぶ商品棚に視線を移した。

「でも、何買っていいかわからないし、どんなのが方向性に合ってるのかも不明なんだよなぁ……」

「そしたら、うちの母親がつかってないサンプルとかあげるよ。髪のやつとか、肌につかうやつとか。家にゴロゴロあった気がする」

「え」

自分でもおせっかいだな、とは思う。でも、別に懐が痛むわけでもないし、ちょっと母親から使ってないのを拝借してくるだけだ。それで他の人のためになるのなら、何も問題はない。

「明日……あ、いや、木曜の五時、小琳駅の改札の前でどう？」

柳井がおそるおそる頷く。「大したことじゃないですよ」と言う代わりに、晋は「じゃ」と手短に告げてその場を離れた。

家に帰ると、母親は夕飯の支度を終えて、スマホで動画を見ながらストレッチをしていた。アラフォーの割には、体型も緩んでいないし若く見えると息子ながらに思う。

「ねぇ、寧々ちゃん、ちょっとお願いがあるんだけど」

母親が動画を止めて「なに？」と振り向く（母親の呼び方について深くツッコんではいけない。あくまで母親に対するサービスでやっていることだ）。

化粧品のサンプル等を譲ってほしい旨を伝えると、母親はキラキラと目を輝かせて飛びついてきた。

「えっ、なに？　彼女へのプレゼント？　それとも晋が使うの？　まさか恵麻ちゃんに？」

晋は内心うんざりしながら答える。

「いや、友達……ていうか中学校のときの先輩。ほら、一個上に柳井さんっていたでしょ」

「そっか。せっかく恵麻ちゃんと同じ高校になったのに、全然仲良くならないわよね。昔は結婚するかと思ってたのに」

……思春期の息子に対して、その物言いはあまりよろしくない気がする。こういうのって何ハラスメントっていうんだろう。

ただ、あんまり頻繁にイジられればキレるところだが、その辺は母親もわきまえている。一度使ったネタはしばらく封印されるので、ここはスルーするしかない。

「クラス違うし」と答えると、母親は「そんなもんか」と若干芝居っぽく呟いた。

「で、その柳井さんってどんな人？　ごめん、ちょっと思い出せないのよ」

「真面目で努力家って感じかな。どうやらお化粧とかヘアケアとかに興味あるんだけど、完全に初心者みたいで。どうしたらいいかわかんないんだって」

「あら、それじゃ伸びしろの塊ね。いいわぁ。むしろ私が直接指導してあげたいぐらい」

母親がうっとりと語る。美容は彼女の趣味の一つだ。接点のない「息子の知り合い」ではあるが、美容に興味を持ってもらえて嬉しいのだろう。母親にお願いしたのは大正解だった。

ただ、「その子の連絡先、教えてもらえない？」の申し出には、「ダメ」と即答しておいた。

「えっ……、これ全部？」

「うん。俺もこんなに家に溜め込んでるとは思ってなかったんだけど……」

ああ、うちの母がすみません……。自分もそうだけど、善意がちょっと過ぎる傾向にあるもんで……。

結局、母親がかき集めてきた美容・化粧用品は、晋の当初の予想を大幅に上回った。某百貨店の紙袋一個分もあってデカいし意外に重い。おかげで登下校の際、友達に見つかって「なにそれｗ」とツッコまれないか冷や汗ものだった。

柳井が引き気味に受け取る。

「ありがとう。でもさすがに申し訳ないんだけど……」

「ああ、全然大丈夫。どうせ母も使わないやつだし」

紙袋の中身のほとんどは、買ったはいいものの、最後まで使えず捨てるに忍びないといった類のものだ。

　以前から母親はそれらを「断捨離しなきゃ」とよく口にしていた。他人に譲ることで罪悪感なくものを減らす結果になったのだから、そんなに恐縮しなくていいのだ。

　それでも、あんまり「申し訳ない」と柳井が繰り返すので、駅前のファストフード店でおごってもらうことにした。育ち盛りの高校生の寄り道先のド定番だ。

「あの……ヘアアイロンとかも入ってるんだけど。あれ、このファンデーション、デイオールのやつ……」

　ポテトを味わう晋の向かいで、柳井は紙袋の中身を確認し、しばしば驚いていた。ヘアアイロンはもっといい機種を買ったため持て余していたもので、新品なら高いファンデーションも、渡したものは使いかけだ。もらってくれて構わない。

　一応使い方の伝言も聞いてるよ、と持ちかけると、柳井は教えてほしい、とすぐに応えた。

「こっちがニキビ肌用で、こっちが乾燥肌用みたい。大切なのは洗顔料をよく泡立てることだってさ」

「なるほど……、そうなんだ。百均の泡立てネットでいいのかな？」

「たしか洗顔ネットがその中にも入ってたよ。あ、そうだ。意外にお湯の温度も重要なんだった。ベストは32〜34℃だけど、適当に水混ぜれば温度下がると思う。洗面器にためるか一旦手ですくって二十回以上はすすぐこと。実は俺もそうしてる」

「へぇ。それじゃシャワーのお湯を直接顔に当てるのは……」

「絶対NG」

柳井は晋の解説を、逐一ノートにメモした。

（勉強熱心だなぁ）

素直に感心する。必要とあれば年下のアドバイスにもきちんと耳を傾ける。そういう謙虚で一生懸命なところは、中学時代と同じだ。

「がんばってるね」

軽い気持ちで呟いた言葉に、柳井はペンを持つ手を止めた。

「うん。この前タローに叱られて目がさめたよ。こんな私だけど、できる努力はしてみる」

「叱られたって、そんな……」

偉そうなことを言える立場ではないのだが。面目なくて、晋はダイエットコーラをストローでズズッと吸った。

トレイを持った他校の女子生徒二人組が、晋の横を通り過ぎざまに顔をまじまじと見る。その後も「すごい」「眼福（がんぷく）」などと言い合っているのが自分らの席まで聞こえてきて、柳井は苦笑いした。

「タローみたいなイケメンにはわからないかもしれないけど、実はずっと自分に自信がなくて。この前も輩に『ブス』って言われて、ああ、やっぱり自分はそうなんだなって思って」

「そんなの、ちゃんと見て言ってるわけじゃないのに」

「うん、まぁ、だけど、すごいショックだったんだ。でも外見を好きになれる努力って、したことないのに諦めていいのかなって。やる前から『どうせ』なんて言うの、負け惜しみでしかないと思ったんだ」

真摯な言葉に、普段は浮ついている晋の心も大きく動かされた。

「……わかるよ。俺も、自分が嫌で、しょうがなかったときあるもん」

「えー、そうなの？　全然、そんな風に見えないけど」

晋は苦笑いした。よく周りには「悩みがなさそう」とか「恵まれている」と評されるが、生まれてからずっといい思いばかりしてきたわけではない。

「ちっちゃい頃は、すっごい鈍くさくてさ。幼馴染にめっちゃバカにされてたし、すぐビービー泣いてたよ」

柳井の悩みに比べれば、期間も短くて幼稚なものかもしれないが。あのまま自尊心を砕かれて弱虫として育っていたら、もっと違う人生を歩んでいたかもしれない。いつから泣かなくなったのか……。そうだ、「大丈夫」だと、「自分は悪くない」と、言ってくれる人がいたからだ。

あの人はいまどうしているのか。気にならないわけじゃないけれど、頭をかきむしりたくなる思い出も必ず付随する。そこは置いといて、と無理やり切り替えた。

「あ、そうだ、高校もそうだった。ヤナさんのおかげで受かったんだった」

「？？」

「俺、やっぱ今の学校入れるような頭じゃなかったけど、従兄弟(いとこ)とかめっちゃ優秀なのに、俺だけバカなのもなんか嫌で。受験生になって、『そういえば、ヤナさん会長も勉強すごい頑張ってたよなぁ』って思い出して。ヤナさんとこほどいい学校じゃないけど、近場で難しいとこ入るぞって決めたんだ。目標があったり、応援してくれる人がいると、頑張れるよね」

中学生の頃は、成績がいいのは尊敬されるが、コツコツ努力するのはかっこ悪いという理不尽な風潮があった。中三になり受験勉強をガチりだした晋も、幾度となく「どうせ受からないよ」などと陰口を叩かれた。

だがそんな中、励みになったのが一つ上だった柳井の存在だ。柳井はいつも勉強熱心で、生徒会活動の前後にも問題集を解いていた姿を見てきた。格好悪いとは微塵も思えなかった。

自分も努力をして分かったのが、成長することは楽しいということ、やる気を削ぐような奴は無視していいということだ。

今は授業についていくのにヒィヒィ言っているし、制服もダサくて周りはオタクっぽい奴が多いけど、伝統ある「南高生」になれたことは誇りに思っている。

「だから、俺にできることなら、ヤナさんの役に立ちたいよ」

「うん、ありがとう。木村師匠、よろしくお願いします！」

柳井がテーブルに額をぶつけかねない勢いで頭を下げる。晋が「わしの修行はちと厳しいぞ」と爺さんっぽく言うと、「のぞむところです！」と弟子のように返してきた。

「……ってことで、おせっかいな母親が実は美容院まで予約してて」

「えっ」

「『やっぱりイメチェンしたいなら髪型よね！』って。小琳で会うって言ったら近くのところ探してきてくれて。今日、これから行くことになっています」

突然のことに、柳井が明らかに落ち着きをなくす。

「でも、お金とか……」

「初回は割引してくれるってさ。あっ、もう予約の時間になっちゃう。ヤナさん、ポテトまだいる？　いらないなら俺が持って帰るね」

晋は席を立ちながら、口早にまくし立てた。

変に時間があると「やっぱ今日はいい」などと尻込みしかねない。敢えてギリギリにバラす戦法で、柳井に選択の余地を与えない。

案の定柳井は「心の準備が」「家族がびっくりする」などと道中ごねていたが、バックれる決め手もないまま、予約の店に到着した。

「それじゃ、がんばってね〜」

柳井の背中をガラス戸の中に、笑顔で押し込む。

カチンコチンになってレセプショニスト（受付係）の女性とやりとりしている姿をガラス越しに見ながら、晋は期待感に顔がニヤつくのを抑えきれなかった。

やな　：ゆるふわボブ、また褒められた。ありがてぇことです。あとオススメのシルクのナイトキャップ、かぶるようにしたらめっちゃツヤ出た。ものすごいマイメロの母感が出るけど、背に腹はかえらない……

木村さん：ヤナさん首が細いから、出した方が絶対印象良くなると思ってたんだよね。そんでマイメロの母わかんなくてググった（笑）うちの母も使ってるけど、見慣れたらどうってことないもんよ

やな　：言われたとおり、顔洗ったあとちゃんと乳液つけるようにしたら、ニキビがあんまりできなくなった。油っぽいからって、油分避けちゃうとダメなんだね。ツンデレか私の肌！

木村さん：その発想あたらしいw　あ、うちの母がまた使ってないの発掘した。ポゼっていう下地だって。渡したいから明日とか会えない？

やな　：それ、昨日見てたネットに出てたやつ！　ほしいです行きます！

やな　：先生、アイライナーが……うまく引けません……。『人形劇　三国志』のキャラみたいになる……。それに10回やったら13回ぐらい目に刺さって泣

　　　けてくる……
木村さん：え、それじゃ俺が試しに引いてあげようか。今度使ってるやつ持ってきて
やな　：恐れ入ります。今日行ってもいいでしょうか
木村さん：うん。待ってる

やな　：千葉駅で降りたら、ちぃばぁ発見。かわゆす。ツーショとってもらった
　　　（写真一枚）
木村さん：黄色い！　そしてヤナさんめっちゃ盛れてる！　Yeah! めっちゃJK！
　　　んー、ナイスですね〜
やな　：……タローって、そんなノリだったっけ？　ちなみに加工は一切してない

　風呂上がりの晋は「ちょっとはしゃぎすぎたか」と思いつつ、「そうだよ。こんなノリだよ」としれっと返信した。

　送られてきた写真を見返す。地元のゆるきゃらとフレームに収められた柳井は、派手さこそないものの、今どきのおしゃれで清楚な女子高生そのものだった。

　親の欲目……いや、指南役の欲目というべきか。とにかく柳井の見た目はだいぶ垢

抜けてきた。こんなに短期間で印象が変わるのだから、元も良かったんだろう。

(それに……、あんまり暗いこと言わなくなったよな)

以前の柳井は、場を和ませるためか自虐的な冗談を言うことがままあった。中学校時代など「頼りない生徒会長」とか「消去法で選ばれた」とか、妙な自称をしていた。

周りの生徒会メンバーは柳井の言動を笑っていたが、晋としては「なんでそんなこと言うんだろう」と聞くたびにモヤモヤしていた。そうまでして、笑いをとる必要はない。言えば言うほど彼女自身が傷ついているように見えたのに、先輩も先生もどうして止めようとしないのか不思議だった。

だからこそ、再会したときに「私なんかが……」と口にしたときは、必要以上に強く「そんなことはない」と否定してしまったのだが、最近は会っていてもそのような発言を耳にしない。

きっと、少しずつ分かってきたのだろう。自分を下げるようなことをしなくても、相手ときちんと渡り合えると。自分を大切にすることは、そもそも心地よいことなのだ。

「こういうのって、何ていうんだっけ」

独り言を呟き、スマホで検索をした。

ああ、そうだ、「磨けば光る原石」だ。女の子は生き物で石じゃないけど。あくまで慣用句で言うならそんな感じだ。

そしたら、次に磨くのはどこにしようか。あれこれ考えるのですら自分のことのように楽しい。自分は外見だけじゃなく、中身も母親そっくりだな、と苦笑する。

おあつらえ向きに、柳井からメッセージが届いた。

やな‥師匠、週末のご予定はいかがでしょうか

木村さん‥来週日曜なら空いてる。どこか行く？

やな‥来春進学なので、私服、どうにかしたいなって。もしよければ見立てていただきたいです。近場でかまいません

おお、そういえばそうだった、と思い返す。柳井は一つ年上だから、来年から大学生だ。私服選びは重要だ。

木村さん‥いいよー。あんま近くないけど、ららぽぽぽあたりがお店そろってていいかな

やな　：恐れ入ります。それじゃ、忙しいところ大変申し訳ありませんが、来週日
　　　　曜はよろしくおねがいします
木村さん：おっけー！　ビシバシ鍛えにいくからそのつもりで覚悟しといてね！

柳井からは「むしろ鍛えてください」と根性のありそうなレスが返ってきた。

……前も言ったけど、わしの修行はちと厳しいぞ。

とりあえずちょっとここで予習しておいて、と「パーソナルカラー診断」「体型診断」についてのWEBサイトのURLを貼って送った。


で、買い物当日――

「……木村師匠、そろそろ休憩……」

「おっけー。とりあえずもう一軒行ってみよう。そしたら休憩いれるから」

ほらワンモアセッ、と笑顔で答える晋の隣には、すでに疲労困憊といった面持ちの柳井がいた。

二人が今日買い物にきた「ららぽぽぽ」は、複合商業施設とよばれるもので、巨大な敷地の中に映画館やスーパーマーケット、家電量販店をも有し、テナントの数は4

００を上回る。県内でも有数のお買い物スポットだ。

　女性向けファッションの店だけでも１００店舗以上あり、今回、柳井のために晋が取ったのは「試着ローラー作戦」――つまり、片っ端から入って、実際服を着てみるという愚直きわまりないものだった。

（だって俺、女の子が似合う服ってわからんし）

　服を着たり脱いだり、さらに店員に礼を述べつつ購入せずに店を出るのは体力以上に気持ちが疲れるのだ。さっきは鬼のようなことを言ったものの、柳井はよくついてきているほうだな、と晋は思う。

「つぎの一軒」にあたるナチュラルガーリー系ブランドの店でワンピースを試着したあと、晋は「それじゃ、ちょっとお茶しようか」と柳井に申し出た。

　カフェで斜め向かいに座ると、柳井は「ああ」と大声でため息をついた。

「よ、世の中のおしゃれ人種はみんなこんな思いして服買ってるのか……」

「んー、そうでもないと思うよ。好みがわかってきたらいつもの店でパパッと買って終わりって人も多いだろうし。慣れるまでの我慢だよ」

　柳井の手元にはいつものノートがあり、そこには今日試着した服の特徴が逐一メモされていた。さすが、研究熱心だ。

晋は柳井におごってもらったチョコ入りいちごスムージーを飲みながら朝からうすうす気になっていたことを尋ねた。

「ヤナさん、ちょっと痩せた？」

頬のあたりの丸みが、以前よりシャープになっている。全体的なシルエットも一回(ひとまわ)り小さくなった。

晋の指摘に、柳井は一瞬戸惑ったようだが、すぐに冷静に返した。

「あ、ああ……。実は最近、ちょっと運動するようにしてて」

「へぇ。ちょっとってどれくらい？」

「いやほんとにちょっとだよ。学校に行くときと帰り、前までは駅からバスに乗ってたけど、今は歩くようにしてるとか、それぐらい。片道三十分ぐらいかな」

ということは毎日都合一時間以上ウォーキングしていることになる。そりゃ痩せるはずだ。今までも別に太っていたわけではないが、無駄な脂肪が落ちてすっきりした。

それに、代謝がよくなったおかげか、肌は以前より透明感がでてきれいになった。眉毛を軽く整えただけで目元の印象も明るくなったし、エアリーな髪型もしっかりキープできている。写真で見たときよりも、実際会うとその変化は如実(にょじつ)だった。

「そういやタロー、今日付き合ってもらっちゃってよかったのかな？　最近いそがしかったみたいだけど……」

「あ、大丈夫。俺いまバンドやってて、今度の文化祭で発表するってんでバタバタしてたんだけど、今日は練習休みだったから」

「へぇ……。どんな曲やるの？」

「それがさ、オリジナル入れようって話になってるんだけど、その歌詞があんまり良くなくて……」

大変だね、とごく普通の相槌を打つ柳井を前に、晋は唐突にひらめいた。

「そうだ、ちょっとヤナさんも聞いてみてよ。どんな歌詞がいいか教えてほしいんだけど」

「えっ……、歌詞なんて書いたことないんだけど」

「うん、でもさ、俺の知り合いの中じゃヤナさんが一番文才がある人なんだよ。作文とか得意だったよね、確か」

中学時代、柳井は作文コンクールで「なんとか新聞社賞」を取っていた。全校生徒の前で表彰されていたからうっすら覚えている。

「まぁ、一応聞いてみる」と消極的な了解を取り付け、柳井のイヤホンを自分のスマホに接続する。自分も無線イヤホンを同期させてから、「名称未設定（2）.mp3」を再生した。

　タンタンタンタンという規則正しいドラムの後、ベースと別録のピアノによる奔放な旋律が早いビートに乗って流れて、次いで式守の独特なしゃがれ感のある歌声が聞こえた。

『水兵リーベ　僕の船　いつか君といっしょに乗りたいな
　今日も朝からいとをかし　お菓子もいっしょに食べたいな……』

「あっ――――――、なるほど……」

　ね、すごいダサいでしょ、と目線で伝えて口元で苦笑いする。曲が終わると、柳井はイヤホンを外してノートの一番うしろを広げた。

「……変わってるけど、なんとなくわからないでもないかな。これって一応ラブソングで、『僕』は勉強はできるけど色恋沙汰が苦手、ってことだよね」

「あ、うん。そんな感じだと思う」

「君」を想う「僕」の歌詩の中に、元素の周期表や古語、その他歴史の語呂合わせや平方根の覚え方などが唐突にぶっこまれている。たぶん、作った人間（式守）的には、それらを入れ込むことで共感とインパクトを残したかったんだと思う。

「ごめん、もう一回聞きたいんだけど」

仰せの通り、もう一度リピートして再生する。柳井は曲を聞きながらブツブツ言いつつペンを走らせた。

曲が終わってしばらくしたタイミングで、柳井はビリっとノートを破き、晋の方へ差し出した。

「パパッと思いついただけだから、字数とか足りないかもしれないけど、こんな感じでどうかな。とりあえず一番のサビの前まで。冒頭部分はそのまま使ってある」

『水兵リーベ　イッヒリーベ　意味はI　LOVE　言うのはおあずけ再追試
任意の点P　君みたい　次はどこへ行っちゃうの？　方程式に解はない……』

「え、めっちゃいい。俺、これ好き」

他のバンドメンバーがどう判断するのか分からないが、自分的には前の歌詞よりずっとツボに入った。

「任意の点P」のことは「勝手に動くなよ」と何度恨めしく思ったか分からない。それをきまぐれで行動の読めない「君」と重ね合わせるとは、心憎い演出ではないだろうか。

「なんでこんなすぐに作詞できるの？　もしかして天才？」

「いや、なんとなくそれっぽい言葉が浮かんできたのを当てはめただけだから……」

「ねえ、これもらっていい？　曲つくった奴も詞がアレだってすげぇ悩んでたみたいだから、見せてあげたい」

「ああ、どうぞ。そのために書いたから、よかったら使って」

あ、でも、恥ずかしいから私が作詞したことは内緒にしておいて、と言い添える。

本人が望むならもちろんそうする。家に帰ったら清書して、早めに式守や他のメンバーに送ろう。

柳井は座席に大きく凭（もた）れながら言った。

「でも続きはすぐに出てこないかも……」

「うん、大丈夫。時間があればいけそう？」

「そうだね。一週間あれば書けると思うけど」

一週間……。練習時間も考えるとギリギリだけど、厚意でやってもらってる分、急かすわけにはいくまい。

もう一度手元にある歌詞をメロディに乗せながら読んでみる。ちょっとクセのある情景描写が、カノン進行の胸キュンコードにとても合っている。

何を考えているか分からない「君」に振り回される「僕」。諦めた方が楽なのに、できないもどかしさが甘酸っぱくて……

「ホントすごいなぁ……こういう歌詞とかさ、いいなって感じるんだけど、俺には絶対書けないよ」

恋愛経験がないわけではない。女の子に好きだと言われて付き合ったりもしたけれど、「彼女」に対してこの歌詞の主人公のように激しい感情を抱いたことはなかった。だから惚れた腫れたで盛り上がっている他の友達が、ときどき羨ましくなる。誰かを好きになってとんでもないパワーを出したり、逆にハゲるんじゃないかってくらい恥ずかしい大失敗をしたり。

そんな奴らに比べると、人生経験が圧倒的に足りていない。付き合った人数は彼らより多くても、薄い関係しか築いていない。かといって無理やり誰かを好きになるのも何か違う気がする。

「本気の恋」をしてみたい。なのにできないことは晋にとって密かにコンプレックスとなっている。

「……勉強はやればやるだけ結果が出るけど、恋愛はそうでもないからね。タローのお友達は、いいところに目をつけたんじゃないかな」

柳井らしい発言だな、と思うと同時に、少し引っかかった。

「あのさ」

柳井がアイスティーをストローでかき混ぜながら「なに」と答えた。

「ヤナさん、好きな男いるの？」

軽い気持ちで聞いたことをすぐに後悔した。それぐらい柳井は分かりやすく顔をしかめた。小動物っぽい丸い目に、暗に影がさす。

「あ、いや、この歌詞読んでそう思っただけだから。それにヤナさんすごい頑張ってるから、もしかしてそうかな、なーんて。あっ、そうそう、男って聞いたけど、それ以外の可能性を無視するような意味じゃなくて……」

「まぁ、そういう側面も、なくはないかな」

ぼそっと告げられた回答に、ある程度予想していたはずの晋も動きを止めた。

「えー……っと、付き合ってるの？」

「うーん……、どうだろう……」

いるならいる、違うなら違うではっきり答えればいいのに。それができないのは、よほど込み入った事情があるか、禁じられた恋をしているか……。どちらにしろ、これ以上聞かれたくないという意思表示だろう。

（でも、ヤナさんがキレイになりたい理由がわかったぞ）

好きな相手に少しでも良い印象を持ってもらいたくて、自分を磨く。とってもいじらしいし、ますます応援したくなる。

歌詞のこともあって、少し喋りすぎてしまった。チョコ入りいちごスムージーもすっかり溶けている。

ずずっと残りのスムージーを啜ると、「そろそろ次行こうか」と柳井を誘った。

結局、その日は合わせやすいスニーカーとジーンズ、スカート、トップスを何点かに加え、プチプラのコスメを何個か買った。冬の上着もよさげなものがあったが、かさばるのでまた次の機会に、と購入は見送られた。
（そういえば、気になってる男の話、あれからでてこなかったな）
どんな奴なんだろう。ちょっとでも分かれば、そいつ好みに柳井をプロデュースするのもアリだ。いずれじっくりと、話す気になるまで準備をしておこう。

日が明けて月曜の昼休み。あらかたの生徒が昼飯を食い終わり、ありあまるパワーとリビドーをもてあまし校舎内を跳梁跋扈する。そんな中、机に突っ伏して昼寝をしていた晋の席にフラッと客人が現れた。

バンド仲間の式守だった。歌ってるときは気だるさがかっこいい式守だが、普段は猫背で眼鏡でオタク寄りだ。

式守は何故か口元を歪め、俯いて眼鏡のブリッジをくいっと上げて言った。

「すまん、きむ。クラスの女子よりの遣いだ。お前が最近、とある他校の女子と一緒にいるのをよく見かけるという報告を受け、その真偽をたしかめに来た。嘘なら嘘でいい。それ以上は聞かん」

「あ、ああ……。中学のときの先輩のことかな……」

「あ――――――、やっぱそうか!!」

式守が急に声を荒らげたので、晋はビクッとなって机から身を起こした。

「お、お前だけは俺ら側だと思ってたのに……！　イケメンだけど気さくでちょっとボケてて、あんまり女の子に興味なさそうで……！　それなのに、お前はちゃっかり女子とイチャイチャしてたんだな！　ずるい！　俺の感情弄ばんといて！」

「落ち着いてよ。そんな、羨ましがられるような関係じゃないんだけど」

　昨夜、歌詩送っただろ。あれを作った人だよ、と言いたかった。約束は約束なので言わないけど。

「いーや、絶対にそうやんか！　だって最近なんかウキウキしてたし！　なんで気づかなかったの俺のばかあああああ‼」

　錯乱する式守を、どうにか話を聞いてもらえる状態までなだめる。

　柳井は中学校時代、生徒会で一緒だったこと、駅前で偶然再会したこと、あくまでおしゃれの指導をするだけで、お互いやましい感情など一切ないことを説明する。

「ほんとに何もないの？　お前がそう思ってても、相手は違うかもしんないじゃん」

「あのなぁ……。ヤナさんはマジでそういう人じゃないから」

　ちょうどクラス内に同じ玉前中出身の男子がいたので、式守の前に連れてきて「柳井先輩って覚えてる？」と尋ねた。

「ああ、いっこ上の真面目な生徒会長ね。覚えてるけど……、なに？　さっきイチャイチャしてるとか話してるの聞こえたけど、もしかして晋が柳井会長と付き合ってるとか、そういう話？」

「だから違うって。むしろそういう関係にはなりえませんよねって話」

「なりえないってことはねーべよ」

「え」

固まる晋の横で、式守は「ほらみろやっぱり」とあげつらった。

「柳井会長と晋って、中坊んときからなんかいい感じじゃなかった？　たまに一緒にいるの見たけど、見た目はアンバランスなのにお互い気ぃ許してるーって雰囲気で、なんかエロいなって思った気がする」

「そう……だっけ」

「俺、結構柳井会長ファンだったんだよね。一生懸命で、密かに面白いこと言う感じで。そんなにイケてるイメージじゃなかったけど、卒業から三年近く経ってるし、めっちゃ可愛くなってる可能性も無きにしもあらずじゃんか。で、どうなの？　晋会ってるんでしょ？」

……なんだか話が余計ややこしくなってしまった。

己の人選ミスにほとほと呆れたところで昼休み終了のチャイムが鳴る。二人にはあとでゆっくり説明すると約束して、一旦追い返す。

午後の授業一発目は数Bだ。ぱらりと教科書をめくると、前期で習った「平面ベクトルと平面図形」の項が開き、「任意の点P」という文字が目に飛び込んできた。

『相手は違うかもしんないじゃん』

『なりえないってことはねーべよ』

……部外者の意見なんか「なんにも知らないくせに」でぶった切ってしまえばいい。でも、それができないのは「自分は鈍感だ」という自覚があるからだ。

もし二人の言うことが当たっていたら……。ぐるぐると頭を悩ませているうちに授業が終わり、次の時間の教室移動のため席を立った。

何気なくスマホを確認すると、柳井からのメッセージが一件届いていた。

やな　：歌詞のつづき、もうちょっとイメージについて相談したいんだけど。明日
　　　　あたり、会って話聞けないかな

（ああ……）

こんな何気ない文面でさえ、別の意味を持っている気がしてしまう。今までの師匠キャラがどういうスタンスで返信していたかさえ、うまく思い出すことができない。

散々迷った挙げ句、夜になっても「ごめん、しばらく練習があるから難しいかも」と先延ばしにする案しか出てこず、そう返信せざるを得なかった。

「あー、くそ寒み……」

　暦の上ではまだ秋だが、電車を降りると、とたんに冷気が耳元をさらった。とはいえ「くそ」は言い過ぎだが。なんとなく品のない強調語を使いたくなってしまうのは、洋楽ハマりたての高校生あるあるだから仕方ない。

　月曜日、柳井のお誘いを遠回しに蹴ってしまってから、あっというまに週末の金曜日だ。今週の放課後は本当にバンド関連の練習と話し合いで本当にバタバタしていた。

　改札で一瞬Ｓｕｉｃａをタッチし、またポケットに手をつっこんで肩をすくめる。そのまま駅舎を出ようとしたとき、待合所のベンチに見知った人の影を見た気がして、思わず二度見した。

　やっぱりそうだ。ポケットに手をつっこんで、顔をスヌードに鼻までうずめて、両足を揃えて座っている女子高生。

「……どうしたの」

　晋がおそるおそる声をかけると、柳井は弾かれたように顔を上げた。

「あ、ちょっと渡したいものがあって。来るかなって思って待ってた」

嬉しそうに細められた目元に、晋の胸はズキッと音を立てた。

「秋のいちごって、珍しいよね」

「そうなんだよ。うちの爺様が趣味で温室で育ててさ。形はあんまよくないけど、甘くておいしいよ」

がさがさ、と手元のビニールが揺れる。

柳井から「ほらこれ、この前買い物に付き合ってくれたお礼」と渡されたのは、Sサイズのビニール袋いっぱいに詰められたいちごだった。

いちごは晋の好物だ。あまくてみずみずしくて、すこし酸っぱい果実が物心ついた頃から大好きだった。

柳井を送るため、とっぷり日が暮れた駅前の道をならんで歩く。海岸が名物の町だけれど、浜辺は遠く波音は届かない。温暖なはずの潮風は、今年一番の冷え込みを連れてくるだけだった。

「あとこれ。この前のやつ」

三つ折りにされたレポート用紙を差し向けてくる。一瞬なんのことか分からなかったが、どうやら二曲目の歌詞が完成したらしい。

「いま見ていい？」

「だめ。恥ずかしいから」

「いいじゃん。みんなの前で演奏されるんだしさ。ヤナさんも、見に来てくれるんでしょ？」

軽口のつもりで尋ねる。柳井はまたも曖昧に笑うだけだった。

不意に、胸騒ぎがする。不安な考えを打ち消すように、晋はことさらに明るく言った。

「そういえば、同じ中学だった秦って覚えてる？　そいつがさ、ヤナさんのこと『密かに面白いこと言う先輩』だったって言ってて。ヤナさんのこと、今どんな感じになってるのか知りたいみたいだよ。文化祭きてくれたら、紹介したいなあって思ってるんだけど、どう？」

この前の「気になっている男」のことは一旦横に置いて。単純にバンドのライブにはたくさん人が来てほしいし、友達の輪が広がるのは柳井にも良いことのはずだ。

ちらりと左横を伺う。自分の上腕部あたりの高さにある横顔は、俯いて固く口を閉ざしていた。

まるで、次に言葉を発するまでの力を溜め込んでいるかのように。

（あ、この雰囲気……）

マズい。だめだ、いま言おうとしていること、もうちょっと待って。

焦る晋の隣を、ぴったりとくっついてきていた足音が止まる。

「タロー」

張り詰めた柳井の声。

だめだよ、それを言ったらもう今までみたいはいられないんだよ。

お願い、どうか、「なんでもない」って取り消すか、俺の予想とは違うことを言って――

「私は、君が好きだ」

風が、止まった。

あまりにストレートな愛の告白だった。

ただ、言葉の意味とは裏腹に、彼女の声に甘さはない。

「本当は、中学校のときからずっと君のことが好きだった」

現実のことなのに、見慣れた光景のはずなのに、映画でも観てる気分だ。

目の前の、まつげを伏せた顔も、彼女の背中越しに見える神社の赤い鳥居も、星のない夜空も。

すべてが彼女の決意のため、演出されたワンシーンのように、完璧だった。

でも観客は自分一人。すべての言葉は自分に向けられていた。


「あの時、久しぶりって言ったけど、ホントは何度かタローのこと、電車の中で見かけてたよ」

「え……」

「……だけど、そのときは他の子と一緒にいたから、見てるの辛くて逃げたんだ」

全然、気づかなかった。いつ頃の話なのかも見当がつかない。

そのときの気持ち、想像するだけで胸がきりきりする。

「でも声かけられたとき、覚えてくれてて死ぬかと思った。こんなにかっこよくなってるのに、昔と変わらず接してくれて、どんどん好きになっていくのが止められなかった。買い物に行ったときも、君はそうじゃなかったかもしれないけど、デートでもしてるみたいだった」

淀みなく一気に吐き出された言葉は、ずっとそのことを考えてきていた証拠だ。

なのに自分は「好きな人がいるのか」などと無神経なことを聞いて……

辛かっただろう。なんで自分はその可能性を考えもしなかったのか。柳井は例外だなんて、自分だけが都合よく思い込んでただけなのに。

「バカなこと言ってるってわかってる。でも、こんなバカみたいなこと言っちゃうぐらい、もうどうしようもないんだ」

最後の方は「怒ってるの？」というぐらい投げやりだった。実際少し腹を立てていたのかもしれない。

こんな、鈍感で口先ばっかりで実のない自分に。そんな自分にうっかり再会して、ままならない想いを抱えるはめになってしまったことに。

柳井が顔を上げてこちらを見上げた。次は、自分の番だ。

「ありがとう、ございます……」

それしか言えなかった。

だが言外にあるものを察したのか、柳井は震える声で尋ねてきた。

「その先は、ない？」

「……すみません」

謝らないようにしようと思っていたのに、結局言う羽目になってしまった。

他の誰かに好かれるのは、本来であれば喜ばしいことなのだ。

それに、柳井は気持ちを打ち明けただけで、「付き合ってほしい」と言ったわけではない。その気持ちに「ごめんなさい」と応えるのは、どうにも傲慢な気がした。だけどやっぱり「俺もです」と同じ想いになれないことには、謝罪するしかなかった。

柳井の視線が、再び足元に移る。

「わかった。じゃ」

そのまま背を向けて歩き出そうとしたので、慌てて右手を掴んで引き止めた。

「あのっ、勘違いしないでほしいんだけど、俺がいまこんな返事しかできないからって、ヤナさんの頑張りとか魅力が落ちるわけじゃないんだ。ヤナさんは、本当に、素敵な女の子だから」

こちらを振り返らない制服の背中に呼びかける。

髪が、すでに少し伸びている。短いようで一人の女子が変わるだけの時間は経っていたのだと気づかされた。

「なんて言うのかな……。俺、花ならカスミソウが一番好きだけど、他の花がきれいじゃないかっていうと、全然そんなことなくて。全部きれいで、全部誰かにとって大切だと思うんだ」

　自分に選ばれなかったぐらいで、そんなに落ち込まないでほしい。下手で陳腐な例えしか出てこないことを申し訳なく思いながら、晋は握る手に力を込めた。

「わかるよ……。けど」

　遠くでサイレンが鳴っている。やがてその音も消えていった。

「私はカスミソウになりたかった」

　……もう、何と言っていいか分からなかった。

　どうして人は結ばれない相手に恋なんてするのかと思った。人の本能として欠陥がある。いくら自分が言葉を尽くしても、今の彼女を救うことはできない。

「試しに付き合ってみる？」とか、そんな言葉が欲しかったわけじゃないだろう。彼女がなりたかったのは、ごく自然に、当然慈しむべきものとして、それこそ理性でコントロールできないところで自分からの愛情を注がれる存在なのだ。

　彼女はそれに憧れていた。精一杯努力もした。でもなれないと知った。憧れが消えるのは、誰かを失うのと同じぐらい辛くて、悲しい。

　柳井の肩が震えだした。アスファルトにぽたりと水滴が落ちる。

涙をふいてあげたいと顔を覗き込んだが逸らされた。柳井なりの意地なんだろう。でも泣きたくないのに泣けてしまうときは、誰かのぬくもりが役に立つ。子供みたいに泣いて、子供みたいに慰められればいい。

肩を抱いて、頭を引き寄せる。ふんわりした髪が首元に当たる。

自分は柳井を求めることはできなかった。でも彼女の香りも、平均より少し小さめの体も、もちろん素直で機知に富んだ性格も、嫌なところは何もなかった。

「ごめん、文化祭行けない」

「うん、わかった。ごめんね、ずっと気づけなくて」

「いや、いいんだ。そういうところが好きだったから」

頭をなでながら、ただひたすらに幸せを願った。

聡明で努力家で、一途な女の子。自分が同性だったら誰よりも仲良くなりたかったし、憧れもしただろう。……そんな想像、したって意味のないことだけど。

ズッと洟を啜る音がした。抱いていた丸い肩が、ゆっくりと伸びていく。

「最後のお願い。十秒間だけ目をつぶってて」

頷いて、瞼を閉じる。

腕の中にあった体温が離れていく。自分の両肩に力がかかり、反射的に俯いた。

顔に、かすかな温度を感じた。背伸び、してるんだろう。確かめたかったけれどまだ四秒残っていた。

目を開けたら視界には誰もいなかった。
星のない夜空に、季節はずれのいちごの香りだけが、甘く、濃く、漂っていた。

『愚者は経験　賢者は歴史　僕はなにから学んでる？
君の好みはだいたい知ってる　だから僕じゃないこともわかるんだ』

スマホで曲をシャッフル再生していたら、「イノスケ」のライブ音源が流れてきた。かつての「名称未設定（2）.mp3」、今は「ぼくは恋愛ができない」と名付けられたオリジナルソング。模試や入試問題でよく出題される著名な青春小説のタイトルをもじって、式守が命名した。
文化祭でのライブは予想以上に盛り上がり、実行委員会の特別なはからいで、閉会時間のあとに追加公演も行われるほどだった。このオリジナルソングも、「意外に身につまされる」「妙に頭に残る」と局所的に評判となり、未だに音源のコピーを頼まれたり、「来年も演奏してね」と言われることがある。

だがこの曲に触れるたび、嬉しいだけじゃない思い出がプレイバックする。

(「僕じゃないこともわかる」、か……)

——ずっと、辛い思いをさせていたと、後悔がまた胸を蝕む。

結局、自分が一番彼女をないがしろにしていたのだ。「役に立ちたい」などと言っておきながら、恋愛対象にならないと線を引いて、自分の相手にならないと差別をしていた。

あれ以来柳井からの連絡はない。「心に穴があいた」なんてよく使われる言葉だけど、実際スカスカの心からは空虚なため息ばかり出てきた。

「……あんたがずっと家にいるなんて珍しいわね」

家のソファでゴロゴロしていた晋に母親が言った。今日は、定期考査と冬休みの間の貴重な休日だ。

ちょっとどいて、と膝を叩かれる。足元の空いたスペースに座り込んだ。母親に意味ありげな視線を投げかけられる。

「あの子どうなったの。おしゃれ初心者ちゃん」

「あー……」

　そうだ。母親にも物的支援をしてもらったのに、ここのところは何も言ってなかった。

　気まずくて口をつぐむと、母親はふふんと鼻を鳴らした。

「今の間でわかった。まぁ、あんたに優しくされたら大抵の子は舞い上がっちゃうって」

　母には全てお見通しのようだ。どうせならこの勘の鋭いところも受け継ぎたかった。

　晋は身を起こし、でかめのクッションを抱えながら母親に尋ねた。

「俺、余計なことしない方がよかった？」

「んなことないでしょ。恋して傷つくのも人生のうちだよ。いいことばっかの人生なんて、苦味のないビールみたいなもんよ」

「ドヤってるとこ悪いけど、俺まだ未成年だよ」

「そんじゃ、出汁のきいてない味噌汁みたいなもん？　あれ、なんか違うな……」

　ピンとこない例えに振り回される。言わんとすることはまぁまぁ分かるが、気が軽くなるわけではない。

冴えない晋の肩を、母親は勢いよく叩いた。

「大丈夫だって。今頃もう他の奴といい感じになってたりするよ」

「なんでわかるのよ」

「女の子が急に綺麗になると、周りの男は焦るのよ。独占欲刺激されて、もともと仲良かった男はもちろん、それまで興味なかった奴もブワって寄ってくるからね。うちの自慢の息子がきちんとコーチしてやった子なら、それぐらい余裕でしょ」

柳井のことを知らないはずなのに、母親はやけに言い切る。

(でも……、そういうもんなのかな)

最後に会ったとき、その姿を見て胸が痛んだのは嫌な予感のせいばかりじゃない。彼女は綺麗になっていた。再会したてのときとはまるで別人だった。姉のように慕っていた自分でさえ、少し意識してしまった程だ。

また胸の奥がチクっとして、自己嫌悪に陥る。

そんなに自分って、心の狭い人間じゃなかったはずなんだけど。

（大丈夫、「まだ二年だからどうにでもなる」んだ……）

年明け、十一月に受けた模試の結果を受け取った。評価シートは惨憺たるもので、おそらくは高校生活始まって以来の不出来だった。

たしかに、あの頃は文化祭の練習とか他のあれこれで忙しくて、まともに予習復習できてなかった。自分に言い訳しつつ、E判定ばかり並ぶ評価シートには絶望しかなかった。

ワラにもすがる気持ちで式守に相談すると、やけにあっけらかんと言い切られた。

「おー、ついにきむのケツにも火ぃついたか～。あんまりチャラチャラしてっと先生からうちの部活目ぇつけられるからな。ほれ。これ、うちのクラスの田村大先生おすすめの参考書リスト」

式守曰く、その田村という見知らぬ女生徒はやたらに賢く頼れる存在であるらしい。

学校が終わるとすぐリストを片手に大型の書店に立ち寄った。

だが、年末年始に同じようなことを思った高校生は多数いたのか、おすすめリストにあった参考書はどれもこれも売り切れ。

がっくりとうなだれて、店を出る。「お前なんかいまさら心いれかえたって遅いわバーカ」と神様に言われた気分だ。

いまにも雪が降り出しそうな中、駐輪場で制服のポケットに手を突っ込む。自転車の鍵を探していると、至近距離からガチャン！　と派手な倒壊音がした。

驚いて顔を上げる。同じような音は間髪入れずガチャンガチャン……!!　と続いた。

「うわー……マジか」

目の前の事態をようやく把握した。自転車のドミノ倒し。自転車は晋の右側から二十台ちかく見事に全部倒れていた。

……一人で来たときに限ってついてない。うんざりとした気分で自転車を一台一台立て直していく。だが半分立て直したところで、片側スタンドの自分の自転車が再び倒れた。

「あああああっ!!」

なんとか途中で止めようとしたが間に合わず。自転車は再び全部倒れてしまった。

（なんだよ、もう……）

これは天罰だろうか。徒労に精神力が再び削られる。

手も制服もすでにホコリだらけだ。惨めさにへなへなとしゃがみこんだ。

だがいつまでもそうしているわけにはいかない。義務感で立ち上がると、思いがけない事態に遭遇した。

「……え？」

　反対側からすでに数台の自転車が起こされている。作業をしているのは細身の若い女性だ。

「すみません！　この中に自転車ありましたか？」

　慌てた晋の問いに、その女性はにこりと笑った。

「早くやっちゃいましょう。二人でやればすぐですよ」

　どうやら質問の意味が通じなかったらしい。「あなたの自転車も倒してしまいましたか」と受け取ってもらえると思ったのだが。

　もう一度質問するほどのものでもない。すぐに立て直しを再開する。今度は倒れないよう、しっかりスタンドを固定した。

（あ、この人……）

　作業をしながらふと気づいた。スウェードのバレエシューズと、それを履いた細い足首。スパンコールの持ち手のトートバッグ。女性らしさのある佇まいだが、よく見る系統の服装だ。あまり記憶に残るタイプではない。

　ただ彼女は、以前柳井と再会したとき、「大丈夫ですか」と声をかけていたＯＬさんと雰囲気がよく似ている。たしか持ち物もこんな感じだったし、親切な行動から推測しても同じ人物なような気がする。

　最後の一台を晋が起こすと、女性は「おわりましたね」と晋をねぎらった。

「すみません、ご迷惑をおかけしました」

　女性は「大丈夫です」と首を振った。弱っているときには、他人の親切心が染み入る。やっぱり世の中そんなに捨てたもんじゃないかもしれない。

「あ。手、よごれちゃいましたよね」

　どうぞ使ってください、と女性がバッグの中からウェットティッシュのパックを取り出し、取り出し口を開けて晋に差し出した。

　その右の手首に、３㎜ほどのほくろがあった。

（あっ……）

　記憶の蓋が開いて、一気に脳内に溢れ出す。

『リサちゃん、ぼくと同じところにくろいのあるね』

『ほんとだ、おそろいだね』

　まだ「ほくろ」という言葉も知らないぐらい小さい頃、そう語らった記憶がある。

　そして何かの約束のように手首にある印をとんとんと重ね合わせたからよく覚えている。他愛もない戯れが、死ぬほど嬉しくてドキドキしたから。

ドキドキしたのは、その女の子のことが大好きだったから。四歳年上の、北岡家の「上の娘」。へそ曲がりでキツい恵麻とは対照的に、優しくおおらかだった姉のリサ。恵麻にいじめられて泣いていた自分を幾度となく励まし、初めて恋心を抱いた相手であり……今のところただ一人自発的に好きになった存在だ。

彼女は「それじゃ」と告げると、自転車に乗らず歩き出した。どうやら通りすがっただけのところを助けてくれたようだ。その思いやりにもぐっとくる。

「あっ、あの！」

思い切って呼び止めた。ひっくり返りそうな声が出た。

彼女がゆっくりと振り向く。少し色素の薄い目が不思議そうにこちらを捉えて、瞬間的に顔が熱くなった。派手さはない。だけどこの上なく好ましいものだと映った。

「あ……、何ヶ月か前に、駅前で、女の子が自転車とぶつかったところにいませんでしたか。なんか、騒いでる中学生ぐらいのグループです」

「あ、ああ。いましたね」

「あのときの、女の子の知り合いです。えっと、その……ありがとうございました」

彼女は「いえ、とんでもないです」と謙遜して微笑んだ。

「あの女の子、ちょっと怖い思いしたと思うけど、大丈夫でしたか？」

「え、あ……はい。怪我とか全然なかったんで」

「その後がわかってよかったです。ありがとうございます」

感謝されることは何もしていない。自分は、あなたともうちょっと話したくて声をかけただけだ。

それよりも、気づかない？　もっとずっと前に会ったことはない？　自分の顔とか雰囲気に覚えはない？

でも自分からは聞けない。小さい頃の、好意を隠すことを知らなかった自分とは違う。それを恥ずかしいと感じる程度にはおとなになってしまった。

そう、あの頃の自分、死ぬほど恥ずかしい。「リサちゃん、リサちゃん」ってまとわりついて、恵麻にも小馬鹿にされた。会えなくなって、すごくすごく寂しかった。やがて成長して寂しさも記憶も日常の中に埋もれていった。

だけど——

「あ、お夕飯の支度があるので、帰りますね。気をつけて」

軽く手を振ると、彼女は再び背を向けた。もう一度呼び止める勇気はなくて、小さくなる背中を見送るしかできなかった。

ぼんやりした頭で自転車を漕ぎ出す。家に帰っても何もおぼつかない。

たぶん、嬉しかったんだ。初恋の君が、曲がらずにおとなになっていたことが。あの頃の優しさそのままだったことが。もう一度、出会えたことが。

自分の右手首を見返す。やはり今日会った人と同じところにほくろがある。そしてまた顔が熱くなってくる。今度は耳までだ。

（でも……、リサちゃん本人だったのか……）

あのとき聞いておけばよかった。覆水盆に返らず……じゃない。どうしても確かめたい。

方法なら、ギリ思いつく。

翌日晋は、昼休みに二年C組（数学B・生物選択クラス）を訪れ、そこにいる全員をザワつかせることとなる。

「北岡さん、いる？　ちょっとお話したいんだけど」

「……はい？　何の用？」

意外に近くに座っていた女子が振り向く。体育のあとなのか、派手な色の髪をお団子にしていたので分からなかった。

ここではちょっと、と恵麻を連れ出す。恵麻は思いっきり眉間に皺を寄せながらも、晋についてきた。

……「木村くんが北岡さんを呼び出した」という噂は、すぐに「告白しに来た」という変異種になり、またたくまに水平伝播し、その暴露率の高さより「二人は付き合っている」という認識を学校中に生み出してゆくこととなるが、この時点では二人の与り知らぬことである。

そういえば、柳井の作った歌詞には、こんな一節もあった。

『ああ、愚かな僕は　何度君に会っても好きにならずにいられないんだ』

あの曲は、彼女自身を歌ったものだとばかり思っていた。まさか自分にも当てはまるとは。恐ろしいほどの慧眼だ。

どうして自分は女子をちゃんと好きになれないんだろうと、悩んだこともあった。でも再び動き出した。人の心なんて、どう転ぶか分からない。

だから安心して、幸せになってくれヤナさん。愚かなのは自分だけでいい。たくさん磨いていろんな恋をして、そしてホントにたまにでいいから、どうしているか教えてほしい。

「最後のお願い」は、いつまでも二人だけの秘密だから。

彼女が部屋で待ってるから

日曜日、午後五時までのアルバイトのあと、恵麻は総武線快速で東京方面へ向かっていた。

秋真っ只中（そんな言葉はない）のまったりムード漂う中、あくびを噛み殺しつつスマホをいじっていると一件の通知が入った。

Coco：大物釣れた！　いぇい！　ビギナーズラック☆

高校時代の友達仲間で作ったグループチャットへの投稿だ。ポストした「Coco」とは三年生のときのクラスメイト・大塚心菜である。

何気なく心菜からのメッセージを開く。先ほどの通知と全く同じ文章と、二枚の写真が投稿されていた。

「……ん？」

一枚目の写真は、心菜が青いライフジャケットを着て、針にかかった青魚を吊っている写真。心菜が小柄なせいか、魚は文章のとおりとても大きく見えた。

問題は二枚目だ。港と思しき場所で撮られた集合写真。

地元の漁師さんか、釣り人か……ともかくよく日に焼けたおじさんが両脇にいて、心菜は中央でダブルピースをとっている。その隣にいるのは、やはり高三のときに同じクラスだった内田隆一（りゅういち）のように見える。一気に目が覚めた。

案の定ほかのチャットメンバーも気づいたようで、「なんで内田くん？」「一緒に行ったの？」「そんな仲よかったっけ？」と、魚そっちのけの食いつきだ。

Coco：夏休みに教習所で一緒になったんだ。んで、いま付き合ってる。自分で釣ったアジ、美味しくてマジ泣けた。今度みんなで一緒に釣りしようよ～

……サラッと重大なことを言うでない。お姉さんびっくりしちゃったじゃないか。

これはどう反応していいのか。他のメンバーの出方を伺うと、「そうなんだ、おめでとう」「再会してよかったね」「実は私も釣り行ってみたいんだよね」と意外にもすんなり受け入れている。

（へー……、そっかぁ）

高校時代の心菜と内田は、「うっちー」「ツカ」と気安く呼び合う仲ではあったが、そこに艶っぽいものは微塵も感じられなかった。心菜からも「内田が気になる」なんて相談は一度も受けたことがない。

ただ、卒業して半年も経てば、お互い違って見えるものがあるのかもしれない。周りの子だってそうだ。驚いてはいるけれど、変に誂ったりしない。ちゃんとお祝いして、ちゃんと切り替えができている。

改めて見てみれば、二人はお似合いな気がする。明るくて天然な心菜と、やっぱり明るくて人好きのする内田。二人でいるところは、さぞかし賑やかに違いない。

この流れで自分も言っちゃおう……とならないのが恵麻の面倒くさいところだった。

自分の「彼氏」のことは諸事情ありすぎて、皆に言うに言えないまま半年以上経ってしまった。隠し続けるつもりもないが、いま打ち明けたら心菜に対抗しているみたいで決まりが悪い。

でもまぁ、二人の仲睦まじげな写真は、やっぱり見ていてちょっと羨ましい。

高校時代の友達にはカミングアウトしていないが、目下在籍中である女子大ででき

た友達には「高校の同級生と付き合っている」「遠距離恋愛中である」と普通に伝えてある。

　言う言わないの可否を決めたのは、信用云々の問題ではなく、単にタイミングがよかったからだ。仲良くなってすぐ「彼氏いるの？」と聞かれたので、「いるよ」と素直に答えられた。

　今夜は大学の友達と女子会だ。四人でおしゃれ創作ダイニングの狭い個室に入り、水入らずの空気の中、思い思いの料理を頼んでいく。

　そんな中、ふと恵麻とその彼氏の関係について会話が及び、友達の一人がぼそりと呟いた。

「……浮気とか、気になんないのかな」

　友達の言い方は、恵麻→彼氏についてなのか、彼氏→恵麻の場合なのか、はっきりとしないものだった。

　自分は他の男子と遊ぶ余裕など毛の先ほどもないし、相手はあの飯島だ。いくら離れているとはいえ、そんな浮気なんて……

（まぁ、ありえないよね。あいつ、地味だしボーッとしてるし、街中に出かければ十分に一回ぐらい似てる人見かけたりするし。たまにしか笑わないし全然怒らないし、言ってること意味不明でウケるし素顔はまぁまぁ……っていうか意外とかっこいいし、いざって時は頼りになるし、優しいし……ってこれほとんど褒め言葉じゃん。そしたら他の子も放っておかないよね……って納得してる場合か！　浮気なんぞされてたまるかぁあああああ‼

　はぁ……、落ち着け。勝手に悪い方向に妄想して、勝手に落ち込むのは悪い癖だ。あと「意外とかっこいい」ってのはたぶん間違ってる。中学校時代の友達が彼のことをそんな風に評してたけど、あの子は昔から趣味がおか……ひと味違うことで有名だった。普通の女子からすれば、そんなんでもないはず。少なくとも昔の自分のツボには入っていなかった。

　あああ、でも飯島のいまいる学科って、男ばっかなんだっけ。そんなところにわざわざ進学するような女子って、まあまあの確率で変人じゃん（※個人の意見です）。ってことは、異性に対する嗜好も普通とはちょっと異なるかもしれない。故に、あいつがその数少ない女子に見初められて、「遠くの親戚より近くの他人。遠くの彼女より近くの同級生だよ！」みたいに言われまくって揺らいじゃってる可能性も無きにしもあらず……？）

　他の友達の「大丈夫だよ」「心配しなさんな」という意見に微妙な相槌を打ちなが

ら、脳内会議はどんどん悪い方向へと転がっていく。確かに連絡はほぼ毎日とっているが、実際あいつが向こうで何やってるかは全くもって不明だ。ああ、いまこの瞬間にも、「私が飯島くんのさみしさ忘れさせてあげる」的なベタな展開になってたりして……

そのとき、恵麻のスマホに一件の連絡が入った。バイト先のアイリッシュパブ風レストランで一緒に働いている先輩からだ。

松井もな：再来週の土日、オーダーシステムの入れ替えで臨時休業だって〜。ついでにエアコン清掃とか内装の模様替えも入るってさ。もうちょっと早く言えよって感じ（涙）悔しいから地の果てまでドライブにでも行かない？

……これって、「今がチャンスだよ」って神様からのアレなんだろうか。「気になるなら行っちゃえよ」「抜き打ちテストしてみれば」と。

いやいや、そんな経済的余裕はない……と頭の中から思いつきを追い出そうとしたけれど、世の中には長距離バスという「金はないが暇と体力はある」学生にピッタリの乗り物がある。昨日、姉が友達から借りてきて観ていた「水曜ホニャララ」のＤＶ

Dでも、それは大活躍していた。

出来心で、長距離バスの詳細を検索する。料金は往復でも一日のバイト代より安い。しかも、座席にもまだまだ余裕があるようだった。

もう、行くしかない――ものすごく唐突に、衝動的に、そして自分本位に、北岡恵麻は飯島靖貴の家にガサ入れすることを決めた。

（先輩のお誘いには「すみませんまたの機会に」と即答&回避をキメた）

その翌々週の金曜日。
予定されていた講義が終わると、都内実家暮らしの友達・あいみを誘い、しゃぶしゃぶ食べ放題の店へと出向いた。
「おっ……、北子（ぺーこ）や、今日はいつもと違うかばんだね。もしかして、今夜出発かい？」
彼女の傍（かたわ）らにある黒いデイパックを見つけた友達が、したり顔で尋ねる。あいみは、この前の会食にも参加していたメンバーだ。

「うん。すっごい時間かかるし、どうせなら寝てる間に着いちゃった方が楽かなって。夜討ち朝駆けは奇襲の基本だしね！」

「……の、わりには顔が楽しそうだぜ」

いやいやそんな、と俯いてお茶を濁す。ついでに薄い豚ロースを三枚一気に湯にくぐらせて食らいつく。

「ちなみに、荷物はそれだけかい？　着替えは？」

「明日、明後日の分の下着と、ロンTだけだよ。部屋着なんかはあいつの借りるつもり。どうせそんなに遠出しないだろうし、荷物は最小限にしたいなって」

あとは化粧ポーチぐらいかな、と付け加えた恵麻に、あいみは一瞬ためらったように動きを止めた。

「そうか、それならいいんだけど……。一応、向こうの天気とかもしらべておきなさいね」

それならちゃんと調査済みだ。明日の村山（むらやま）地方の天気は晴れときどき曇り――地域のニュースは「芋煮会のシーズン。各地でさかん」「山間部に熊出没」「ラ・フランスの出荷がピーク」など、平和そのものだ。

しっかしここのお肉、そこまで上質とか希少とかじゃないんだろうけど、食べやすくて結構おいしい。野菜やくずきりなどを挟みながら、気力と体力をチャージしていく。

さぁて、ガサ入れクエスト（GQ）の始まりだぜ。準備はいいかい。

《えまLV：19　HP：160　MP：49》

食べ放題の制限時間めいっぱい居座って店をでて、あいみと別れると人でごった返す巨大なターミナル駅へ出向いた。

時刻は午後十時過ぎ。予約したバスの出発予定時刻は日付変わってすぐだから、まだまだ時間がある。この隙に郊外のマンションで一緒に住んでいる姉と母に、「今日は友達の家に泊まってくる」と素っ気ないメールを送った。

バスターミナルからは、日本全国あっちこっちに行くバスが発着するため、いろんな種類の人が往来している。日本人もいれば海外の人もいるし、若い人もいればおじさんおばさんもいる。でもだいたいが大荷物で、夜も遅いのにちょっとだけはしゃいでいる気がする。

そんじゃ、昨日本屋さんで買っておいた『国語入試問題必勝法』（こんなタイトルだけど小説らしい）でも読もうか、と本を広げたときだった。

「おねーさん、一人？　行き先どこ？」

チャラい外見だがそれなりの年齢と思しき男性が、恵麻の前に座り込んできた。

《なんぱおとこがあらわれた！》

ああ、もう勘弁してくれよ……。この手の声かけをされることは珍しくないが、雑にあしらうとたまにヤバい逆ギレをかましてくる奴がいるから、さじ加減が難しい。

いままで使ったことのない戦法(コマンド)だが、言い伝えでは非常に強力だという「天然を装う（カマトトぶる）」という技がある。今回はこれを試してみよう。

ぽちっとな。

「彼氏の家に行くんです。ずっと、会えなくて……」

口元に拳を添えて、ことさらに高い声で答える。

普段の恵麻を知る人間が見たら失笑ものの演技。だが、声をかけてきた男性は「あっ……、そう」と引いた面持ちで離れていった。作戦は無事成功だ。

《なんぱおとこをたいじした！　えま　ＬＶ：１９　ＨＰ：１５５　ＭＰ：４３》

一人でいたらまたどこぞの輩に絡まれそうだと予感した恵麻は、乾燥防止用のマスクをしっかり装着し、蓑虫(みのむし)よろしく着ていたパーカーのフードをかぶって隅のベンチでステルスモードに入った。

短編集の七編のうち三つを読み終わったところで、バスがやってきた。

座席は思ったよりも広々としている。周りの客も女性ばかりだ。あらかじめリクライニングされていたシートにごろんと横になる。シートも硬すぎず沈みすぎず、ちょうどいい。それから録音音声のアナウンスとともに、バスはゆっくりと動き出した。

バスは不夜城の東京を離れ、北へ北へと進む。だが二つ目の県境を跨いだところで、最初の異変に気づいた。

(前の人、うっさいんだけど……)

《まえのひとのこうげき！　いびき　えまは1のだめーじをうけた！》

無料サービスでバス乗車時にもらった耳栓を装着するが、ズズズ、ズズズという地鳴りのような音は、ウレタン素材をスルーして聞こえてきてしまう。

《まえのひとのこうげき！　いびき　えまは1のだめーじをうけた！》

大した音量じゃないんだけど、地味に気になって眠れない。前の席は若くて可愛らしいおねーちゃんだったけど、人って見かけによらないものだ。自分の運の無さを呪う。

でも、眠れないなら眠れないなりの時間の過ごし方がある。そう気持ちを切り替えて、小説のページを繰りつづけていたが、とうとうそのときはやってきた。

小説は読みやすくて面白かった。だけどあまりにもサクサク進む故、予想より早く読み終えてしまった。

（ああ……、ヒマだ……）

次は何をするべきか。今日に限ってイヤホンを自宅に忘れてきてしまったため動画鑑賞は不可能だ。スマホでできるゲーム類は、小さい画面をずっと睨んでいると頭痛がしてくるため手をつけていない。

到着予定時刻は午前六時……。いまはまだ丑三つ時と呼ばれる時間帯だ。あと三時間以上どうせえっちゅうねん。エセ関西人になりながら頭を抱える間にも、前の人のいびきはずっと続いている。

とりあえず、とスマホのカメラロールの整理をして、使っていないアプリを削除した。フリマアプリをつらつらと眺め、気になった商品に「いいね！」を片っ端から押しまくる。だけど時計は遅々として進まず、疲労がさらに募った。

そうして、駅前でもらったフリーペーパーを熟読すること1・5週め。

《やまこうたーみなるにとうちゃくした！　えま　LV：19　HP：39　MP：28》

ようやく着いた。外はまだ薄暗い。キャリーバッグなど大きな荷物を持っていない恵麻は、寝不足でフラフラになりながらいの一番に降車する。

さて、ここから歩くかバスに乗ってヤツの家まで行くのだけれど……

「さむっ！」

思わず声が出た。寒い。予想以上に寒い。うちの地元なら冬の朝の気温だ。こんなに冷えるなんて知らなかった、と昨夜の友達との会話を思い出す。

『一応、向こうの天気もしらべておきなさいね』

くっそ、あいみめ。「そんな薄着じゃ寒いんじゃないの」ってはっきり言ってくれればいいのに……。逆ギレだって分かっているけど、恨まずにはいられない。ついでに自分のアホさにもがっかりだ。

あんまり寒いので、ここはバス一択だ。たしかこっち方面だったな、とバス停を調べる、が。

（え……、一番はやいので7：00……）

出発まであと一時間近くある。付近に待つ場所もない。恵麻は半ばやけくそに近い気持ちで歩き出した。

《おてんきのこうげき！　とっぷう　えまは5のだめーじをうけた！》

《だんさのこうげき！　ずっこける　えまは11のだめーじをうけた！》

……なんで自分はこんなことをやっているんだろう。挫けそうになりながらバス通り沿いを進む。その間も、冷たいからっ風は恵麻の体力を容赦なく奪った。

メイン道路から路地に入ると似たようなアパートと住宅が多い。何度も道を進んでは引き返しを繰り返した。正確な住所なんて聞いてないから、頼れるのは己の方向感覚のみだ。

（あ……、あった！）

築二十年ほどの二階建てアパートの角部屋。大学のキャンパスとスーパーが近いことから、「このアパートに住む住人のほとんどが自分と同じ学校の学生だ」と彼から以前聞いたことがある。

《いいじまのへやについた！　えま　LV：19　HP：8　MP：12》

（ピンポーン……）

チャイムの音がこだまする。彼がこの扉の向こうにいることは、先ほど外から見たとき灯りが点いていたから確認済みだ。なんで土曜日なのにこんなに早起きなんだよ、とは思うが。

なかなか反応がないので、叱咤の意味も込めてもう一度チャイムを押す。すると、ややあってから部屋の中からパタパタという足音が聞こえてきた。

少し息を呑んでから、ビビらせないための笑顔を作ろうと口元を引っ張り動かしたりしてみる。ドアノブの付近からがちゃがちゃいう音がした。もうすぐだ。

扉が半分ほど開かれる。その内側にいた男子は、自分のことを見るなりヒゲの伸びきった顎、おざなりな黒いトレーナー姿でこう言った。

「ちょ……っ、どうしたの⁉」

飯島の眼鏡の奥の瞳には驚愕と困惑、そして憔悴の色がはっきりと滲んでいた。

喜んでいる様子は今のところ微塵も感じられない。恵麻は急遽予定していた笑顔を引っ込めると、飯島に警戒されないよう事実だけを伝えた。

「安いバスのチケットが買えたから、それで……」

「え……っ、それだけ？」

呆気にとられた口調で彼が返す。そんなどうでもいい理由でここまで来るなんて信じられない、と言っているようにも聞こえた。

なんだよ、それだけで来ちゃ悪いかよ。やっぱりなんかやましいことあるのかよ、とついムッとなって返す。

「……とりあえず疲れちゃった。中に入れてよ」

するとと飯島はここが玄関先だったことを今頃思い出したかのように、「あ、ああ」と言って恵麻のことを扉の内側へと招き入れた。

玄関と続きの台所を経て、引き戸で区切られた部屋へと通される。

もう何度か来たことのある部屋だが、今日の様相はあきらかに以前と異なっていた。こたつテーブルの上には紙が散乱し、床には分厚い中国語の辞書や本が開かれたまま無造作に置かれていたり、コンビニ飯の残骸が片付けられもせずに放り出されている。

「雑然」——まさにそう形容できる状態だった。

「ごめん。レポート提出と小テストが重なっちゃってさ。今ちょうど忙しいところだったんだ」

早口で言うと、飯島はテーブルの前に戻り、速攻で作業を再開させた。

カタカタ、とキーボードの音が響く。手持ち無沙汰になった恵麻は背中のデイパックをひとまず床に置き、壁際にあるベッドの上へとぼすっと腰を下ろした。

「そんなギリギリになるなんて、なんか意外だね。前もって準備しておかなかったの？」

「うちの学科で、俺だけとってる授業だったんだよ。必修のほうの小テストは昨日終わったんだけど、選択のほうのレポートがまでさ……」

彼の学校の事情はよく分からないが、とにかく運悪くいろいろな期日が一緒にやってきている最中だったようだ。いつも冷静な飯島にしては非常に珍しいことだが、今日はだいぶ切羽詰まっている。道理で、昨日から何の連絡もなかったはずだ。

「提出物なんて適当に済ませればいいのに」と恵麻は思った。だが大学にまぐれで合格し、その後もお情けで単位をもらっている自分とは違い、元来生真面目でコツコツ型の彼は学費免除を目指して頑張っているらしい。だから「選択授業のレポートといえど手を抜けない」というのはよく分かるのだが、そんなに根を詰めて大丈夫かな、とたまに心配になってくる。

途中のコンビニで買ってきた飲み物をしまいに行くフリをして、冷蔵庫の中身を覗いてみた。

ほとんどすっからかんだったが、キャベツともやしとえのきと卵、あと冷凍庫に二玉分の冷凍うどんが辛うじて入っていた。台所を使わせてもらう、と断ってから、材料を刻みフライパンを熱する。

「ほい、できたよ」

ミーゴレン風焼きうどん。ナンプラーは入ってないしエビもないからかなり物足りないけど。でも買ってきた弁当などよりは幾分体にいいはずだ。

「ああ……、ありがと……」

恵麻のお手製焼きうどんを掻きこむように食べると、予想通り飯島はまたパソコンの画面に釘付けになってしまった。一応「美味しかった」と褒めてはくれたが、ちゃんと味わってくれたかどうか疑問が残るスピードだった。

(まぁ、いいんだけどさ……)

どちらかというと食べるのが遅い恵麻は、斜め向かいで「ここ、どう訳すんだ」「知らねぇし」などとぼやいている男子学生を見ながらゆっくりと朝食を続けた。

不意に「ピンポーン」とチャイムが鳴った。だが飯島は座ったまま動こうとしない。

「……出ないの?」

「ああ、大丈夫……」

一度は居留守を決めたようだが、ドアの外にいる人が「ピンポンピンポンポン」と何度もチャイムを鳴らすので、飯島は「ちょっとごめん」と玄関に向かった。

一体誰が来たのだろう。彼女は部屋の中から耳をそばだてて外の様子を伺った。

がちゃり、と解錠の音のあと、元気な声が部屋まで届いた。

「おっはよー!　今日もいい天気だね!」

「……朝から何の用?」

「これから出かけないかって誘いに来た！　今日ヒマ？」

（お、女の声ー‼）

こ、これは来て早々決定的な現場を抑えてしまっただろうか……。口調から察するに、だいぶ二人は親しい間柄のようだ。じくじくどきどき、アドレナリンが一気に体を駆け巡る。

落ち着け、まだ「参考人」の段階だ。ここで焦ったら決定的な証拠を取り逃す恐れもある。最近警察もののドラマも結構見ている恵麻は、深呼吸をして会話の続きを待った。

「いや……、ちょっと」

本当は、女の子の外見とか雰囲気とか、めちゃんこ気になるけど……

「そうなの？　ドライブ行こうよ！　羽黒山！　行ってみたいって言ってたよね？

雪が降る前の今がチャンスだよ！」

「それが、中国語のレポートがギリギリで。今日の昼まで期限延ばしてもらったから、どうしてもやんねーと」

「あー、マオマオのチャイ語、エグいって有名だもんねー」

頑張ってね、と来訪者は帰っていった。それから程なくして飯島が戻ってくる。無視するのも却ってわざとらしい気がして、恵麻は平静を装って尋ねた。

「今の人は？」

「アズマさんっていう学科の同級生。今から遊びに行かないかって。レポートあるから断ったけど」

「ああ、そう……」

頷きながらも、恵麻の頭の中は疑惑と疑念でいっぱいだった。

（……そんな、しれっとした顔でパソコン打ってるけどさ。他になんか言うことないの？）

おかしいじゃん。ただの同級生がなんで家知ってるんだよ。めっちゃ仲いいとかじゃないの。しかもドライブって……密室二人きりで、すごい親密度ＵＰするイベントだよね。それ誘われるってどういうこと？？

「あっ！」

飯島が突然叫んだ。恵麻はびくっと体を震わせる。

「さっきの子に渡すもんがあるんだった！」

一体何を……。呆気にとられる恵麻を尻目に、飯島は立ち上がってクローゼットを開けると、なにやらポケットにしまい込み、バタバタと部屋を出ていった。

「すぐ戻るから！　ごめん！」

玄関を出る前にそう言い残して、飯島はどこぞへと消えていった。

……レポート早く書かなくていいのかい。ツッコみたい気持ちはあるが、あいにく本人は不在だ。仕方なく恵麻は食べ終わった朝食の片付けに取り掛かる。

皿とフライパンを洗って、次は歯磨きだ。簡素な洗面所に入ると、間違い探しクイズのような違和感に気づいた。

ヘアドライヤーが、以前ここの家にあったものと変わっていた。シャンパンゴールドのそれを、思わず手にとって確かめる。

（これ、ナノイーじゃん……）

美容好きの女子がこぞって使っている高級品だ。なんでこんなのが飯島の家にあるのか。……やはり、そういうことなのだろうか。がくっと足元がぐらついた。

《いいじまはまだかえってこない！　まつ／でんわする／あきらめる》

聞きたいことはいろいろあったし、いざとなれば刺し違えることも厭わない覚悟で来たつもりだったが、気力も体力も限界だ。度重なるトラブルと想定外の事態にこれ以上は耐えられない。

ああ……、もう、自分はダメだ……

《えま　LV：19　HP：0　MP：3》
《―GAME OVER―》

悪い夢で目が覚めた。起きてしまうとどんな内容だったか全く思い出せないのだけれど、とにかく寂しくて悲しくて、起きたときに涙が頬を伝っていた。夏祭りの夢で、ひどく心細い思いをしたことだけ覚えている。

ここはどこだったっけ、と身をひねる。簡素なテーブルと、そっけない内装。ああ……今日は朝から飯島の家にきていたんだな、とようやく思い出した。

自分以外の気配はない。寝たまま視線を這わせると、テーブルの上に失敗したコピー用紙の裏紙らしきものが一枚だけ放置されていた。

『学校行ってくる。本とか家にあるものは自由に使っていいです。　メガネ』

ああ、そう……とぼんやり頭を掻く。本を使っていい、とのことだが、部屋の隅にある小型の本棚に詰められているのは、自分にとってはちんぷんかんぷんの教科書類か門外漢（もんがいかん）の趣味の本ばかりだった。いまどきの若者らしく、テレビは置いてない。

彼はいつもこの部屋でどんなことを考えて過ごしているのだろうか。身寄りもいない、遠く離れた街で。自分は一人暮らしをしたことがないが、経済的な理由よりも何よりも、沈黙や孤独に耐えられなくて無理だろうな、と思った。

（だからきっと、飯島も――）

いや、とりあえず落ち込むのはよそう。じっとしているとろくなことを考えない。

部屋の中をざっと片付けると、風呂を沸かしてゆっくり入った。洗濯機も回してみたが、もともと一人分なので溜まっていたとしても大した量ではなく、すぐに干し終わってしまった。そうやってあらかた家事をこなしていくも、一向に飯島が帰ってくる気配はない。

洗濯物はためく窓から外をうかがう。太陽は高くのぼり、短い秋の昼間に光を注いでいた。

「いつ帰って来るんだよ……」

思わず声に出してしまったものの、返事など聞こえるはずもない。

ピロリン、とスマホが鳴った。もしかして、と一瞬ドキッとしたが、やはり望んでいた人からの連絡ではなく。

Coco：今日は釣果ゼロだった……。フッ、こんな日もあるさ……

続く写真では、心菜はティアドロップ型のサングラスを掛けて、ニヒルなポーズを決めている。隣で同じポーズをしているサングラスの男子はもちろん内田だろう。この二人、本当にノリが一緒だ。

こんな風に、明るく付き合える人間じゃないと、恋愛なんて楽しめない気もする。仲睦まじい二人を見ていると、待つ身の孤独が余計に沁みる。

……やっぱりあのとき「実はあたしも……」なんて言い出さなくて本当によかった。すぐに真逆の報告をする事態になっていたかもしれない。

卑屈な考えから目を逸らすように、スマホをわざと遠くに押しやって壁向きで瞼を閉じる。軽く体を動かしたことと、入浴で体がほぐれたこと、そして睡眠時間がまだ足りてなかったことが重なって、布団もかけないうちにまた眠ってしまった。

体が少し動いた。ベッドが勝手に沈んだ。何事かと思い目を覚ました途端、首の後

ろあたりが妙に生ぬるくてくすぐったい。

腰のあたりにずっしり重いものが置かれている。人の腕。鼻をくすぐる懐かしいような匂い。どうやらいつのまにか帰ってきたここの住人に後ろから抱きつかれているようだ。

「……なに？」

ゆっくりと振り返りながら、夢うつつでぼやぼやした口調で尋ねる。さっきと服が違うし、髪の先が濡れている。きっといつの間にか風呂に入ったのだろう。

彼は、決まり悪そうに眼鏡の奥の目を細めた。

「あ、ごめん。起こした？」

……こんなことをされて全く気づかない方がどうかしてる。確かに、鍵を開ける音やシャワーの音で起きない程度には熟睡していたけれど。

質問には答えずに、ひとまずスペースを空けようとより壁際へと体をずらした。ベッドは狭いがこいつも疲れているだろうし仕方ない。自分はどうせもう少し頭が動いてきたら起きるつもりだ。

「今日は、今まで何してた？」

肩越しにさらに尋ねられた。まだそんなに眠くないのだろうか。

後ろ向きのままで会話をするのも妙なので、ぐるりと寝返りを打って飯島と向き合う。待ちくたびれた自分とは対照的に何故か彼は機嫌が良さそうで、そのことが妙に苛立たしかった。

「……特に何も」

「へぇ。じゃ、ずっと寝てたの？」

「……すぐ帰ってくると思ってしばらく起きてたんだけど、なかなか戻ってこなかったから」

事実を述べただけのつもりが、つい嫌味っぽくなってしまった。こういうところは自分の悪いところだ。分かっていたが今は止められなかった。

案の定、飯島は口元をひきつらせ、言い訳をするようにぼそぼそと答えた。

「あ……、学校行ったらちょっと先生につかまっちゃって……」

そんなことだろうな、とは思っていた。飯島は基本的に真面目だし親切な人間ではあるが、携帯通信端末を持ちはじめて日が浅いせいか、「連絡をマメにとる」という考えが欠如している気がする。

いや、理由はそれだけじゃないのかもしれない。誰だって、ウザったく感じる存在には扱いも雑になるものだし……

「あのさぁ」

「なに？」

「いきなりきちゃって、迷惑だった？」

ハッキリ言ってくれとばかりに目を見て問う。

急に押しかけたところで大して歓迎もされないし、こいつだって忙しいところを邪魔されていい迷惑だったろう。こんなことをしてもお互い少しも得にならない。

自分はそこまで愛されてるわけじゃないんだ――思いつめた恵麻に対し、飯島は少し茶化すように笑った。

「……いや、超嬉しかった」

「ホントに？」

「うん」

これ以上ない短い言葉で肯定されるが、疑り深い恵麻はまだ腑に落ちない。

「でもさ、こっちでも友達たくさんいるんでしょ。あたしがいなかったら、レポート出したあと、そっちと合流できたんじゃないの」

「……なんのこと？」

「ほら、朝、女の子が来たじゃん。『今日ヒマ？』って」

そんでもってもしかして、その子といい仲になってるんじゃないの……気になったけれど、もし肯定されたらと思うと辛くて声にすることはできなかった。

飯島は表情一つ変えず「ああ」と答えた。

「あの子たち、しょっちゅうどこか出かけてるんだ。別に、今回の断ったって、向こうはなんとも思ったりしないんじゃないかな」

「でも、家知ってるとか、結構仲いいんじゃゃん」

「それは、車の運転手が俺の友達だから……。俺と特別に仲いいとかじゃなくて、あの子誰に対してもあんなノリなんだよ」

訥々と飯島が補足を語る。朝の女の子は一人で来たわけではなく、何人かの男子を車の中に待機させていたとのことだ。

（ふーん……）

それならそうと、すぐ言ってくれればよかったのに。自分に誤解されると思わなかったんだろうか。早とちりした自分も悪いけど……

飯島がぼそりと呟いた。

「夢かと思った」

何がだろう。疑問符が浮かぶ。

「もう、ここ一週間ぐらい、いろいろ重なってまともに寝てなくてさ。まっすぐ歩けねーし、自分で自分が何言ってるかわかんねーし、コーヒーの飲み過ぎで心臓ばくばく言ってるし。あー、もう限界だーって、マジで走馬灯みたいなのも見えた」

それは……冗談抜きに相当ヤバいかもしれない。睡眠ぐらいはとった方がいい。

「でも、どうせなら死ぬ前に北岡に会わせてくれーって思ってたら、ホントに来たからさ。『あ、俺、死んだ?』って一瞬本気でビビった」

（………！）

そんなことを思ってたんだ。急に顔が熱くなってくる。

いや、こんなことで騙されちゃダメだ。恵麻は震える声で尋ねた。

「それなら……」

「なに？」

「それなら、なんでちゃんと教えてくれないの？　いつ頃帰るとか、まだ終わりそうにない、とか。あたし、一人で待ってたんだよ」

この期に及んでしつこいし可愛げがないとは分かっている。けれどせめて連絡ができない理由ぐらい教えてほしい。男心――というか、他人の気持ちって分からない。だから、言葉にしてほしいんだ。

「いや、頭ほんとボーッとしてて、うっかり変なこと言いそうで。今日とかも、ちまちま文章打ってるヒマあったら、一秒でも早く家に帰りてぇって思って……」

「へぇ……」

「ごめん……。今度から、こういうときはちゃんと連絡する」

眼鏡の奥の目に、反省の色が滲む。悪気があったわけではないことは十分伝わってきた。

「俺にも教えて」

飯島の手が伸びてきた。ごつごつの手のひらに頬を包まれる。懐かしさにも似た感情がこみ上げて、何故か泣きそうになった。

「ちゃんと付き合うって、どういうことか全然わからないからさ。北岡がどう思ってるかとか、してほしいこととか、もっと知りたいんだ。俺がいてよかったなってできるだけ思ってほしいから」

自分だって、少しでも長く一緒にいたくて仕方なかった。浮気調査は単なる口実で、ただ飯島に会いたかった。悔しいけど、慣れてないけれど、彼女は一言だけ本音を晒(さら)すことにした。

「寂しかったよ」

昨日ここに来てからも、普段生活してるときも。友達とも家族とも仲が良くて別段不自由はないけれど、それでも埋められないものが心の中に空いていた。この穴を塞いでくれるのは一人しかいない。

「本当にごめんね」

謝罪の言葉とともにより強く抱きしめられた。背中がしなる。狭いベッドの上で、これ以上隙間が余ることないぐらい密着する。

「あらかじめ来てくれるってわかってたら、もっと前からどうにかできてたかもしんないんだけど」

「でも、びっくりさせたかったんだもん」

そんなのは分かってる、とばかりに反論すると、それすらも予想していたかのように「うん」と飯島は頷いた。

「びっくりさせたいってだけでこんなとこまで来ちゃうとこが、面白くてすげえ好き」

(面白い？)

それって褒めてるんだろうか。もっと違う感想はないのか。健気だとかいじらしいとか……。いやそんな風に思われてもちょっと困るけど。

内心ツッコミを入れつつ戸惑っていると、飯島はまだ言い足りないことがあるのかもぞもぞと体をすりよせながら耳の近くで呟いた。

「学校とか他の友達も大事だけど、……世界で一番好きだから」

柄にもない歯の浮くような台詞に、耐えきれずプッと吹き出してしまった。

「うっそだぁ」

この反応はさすがに予想外だったのか、飯島が少し不満げに声を低くした。

「……嘘だと思ってもいいから、今日はそういうことにしといてよ」

そこまで言うなら仕方ない。肯定の返事をする代わりに、彼女はもっさもさの黒髪に指をうずめた。まだひんやりと湿っている。

「あの高そうなドライヤー使わないの？」

「あれ、ねーちゃんのお下がりなんだよ。ダイソンの買ったけどまだ使えるからって、突然実家から送られてきた」

これもやっぱり、想定の中にあった答えだった。台所にあるシリコンスチーマーといい新しいドライヤーといい、彼の姉は便利グッズが好きらしい。

使っていいよ、と言われたので、もう使ったよ、と答えた。どおりで髪がさらさらだと思った、なんて普通のことを言われる。そんな平凡なやりとりですらくすぐったい。

告白して、恋人同士になって、それで終わりじゃない。むしろそこから始まるんだ。

別々の人間として生まれて育ってきたから価値観は違う。きっと一生かけたって全部を理解はできないだろう。それでも、一歩ずつ近づいていける。お互いを知るために、学んで、成長して、かけがえのない存在になっていくのだ。自分たちは、まだまだその途中にいる。


穏やかな昼下がりにそぐわないような長いキスが終わると、彼は一旦仰向けになって眼鏡を外し、ベッドの下へと置いた。

「…………恵麻」

飯島が小声で名前を囁いた。いつもとは違う呼び方は、特別な時間への合図だ。すでにとろけきった無防備な心に、小さな青い火が投げ込まれた。

「――いい？」

さわさわと自分の脇腹に置かれた手は次の行き場を探している。こんなときでもちゃんと意思確認をするあたりは、世慣れた人間からしたら野暮なのかもしれない。

でも、野暮でズレてるところも好きなんだから仕方ない。「寝不足のわりに元気だな」とかこのタイミングで考えてる自分も、やっぱりちょっとズレている。

　似たもの同士の体を重ねる。今まで離れていたことが信じられないくらい心地よくて、いつまでも触れていたかった。

《ふっかつのじゅもん　えまはいきかえった!》
　……って、とりあえず一旦いい感じに収まったけれど、それはそれ、これはこれ。
「浮気とか、気になんないのかな」が解消されたわけじゃない。
《えまは　いいじまのすまほを　みつけた!》
《しかしすまほには　かぎがかかっている!》
　枕元にある彼のｉＰｈｏｎｅは、奇しくも自分と同じ型だ。使い方なら熟知している。
　隣で寝息も立てずにどっぷり寝ている人は、ちょっとやそっとのことじゃ起きそうにない。試しに軽く鼻をつまんでみたけれど、一瞬「フゴッ」と鼻を鳴らしただけで、瞼はぴくりとも動かなかった。

ええ、分かってますよダメなことだって。でも許して。ほんの出来心なんです、何もなければそれでいいんです。檻の中から手の届くところに、鍵を置いておくようなもんでしょ……

心の中で言い訳しながら、電源ボタンを押して寝ている飯島の顔に近づける。

（あれ、うまくいかない）

ロック画面が解除されない。どうやら目をつむっていると顔認証をしないようだ。目が細いからイケるかもと踏んだが、さすがは世界一のＩＴ企業。その辺を区別する技術はちゃんとしていた。

画面が数字認証に切り替わった。一応ありそうな「００００」「１１１１」「１２３４」「１１２０（いいじま）」などを入力してみる。いずれもハズレだった。

（それじゃ、もういいか……）

とりあえず部屋の中には他に怪しいものはないし、あんまり疑ってもキリがない。面倒くさくなった恵麻は「やーめた」と早々に諦めて飯島のスマホを放り出した。

それじゃ、明日の天気でも調べておくか、と手元のｉＰｈｏｎｅを持ち上げる。手癖で暗証番号を入力すると、パッとアイコンの並ぶホーム画面に切り替わった。

初期設定のままの壁紙、やけに少ないアプリのアイコン、亀裂の入った画面が浮かび上がる。
（ん……？　これ、あたしのじゃないじゃん）
自分のものでないとなると、飯島のものだ。偶然にも飯島は自分と同じ暗証番号を設定していたのだ。
《えまは　すまほのかぎを　てにいれた！》
（……って、あああああ、そうだったんだ……！）
なるほど、飯島にとっては「他人に推測されにくい」数字ではある（恵麻にとってはそうでもない）。素直に実家の郵便番号とか電話番号の下四桁にしておけばいいのに。ちょっとヒネったことが裏目に出たようだ。
《すまほをしらべますか？　はい　いいえ》
うーん……、若干の罪悪感はあるけど……、せっかくの機会だしもうちょっと見てみたいな。
《⇩はい》
《えまは　いいじまのすまほを　しらべた！》
勝手知ったるスマホの画面をスワイプする。
ブラウザの履歴がなにもないのは若干怪しいが、自分もメモリへの負荷を減らすためにしょっちゅう消しているから気持ちは分かる。「なんとかトーク」とか「むにゃむにゃチャット」的なマイナーなSNSアプリもない。カメラロールも風景や食べ物の写真ばかりで健全そのものだ。

でもここをスルーするわけにはいくまい……。芸能人の不貞などでスクリーンショット画像が度々流出する、普及率ナンバーワンのメッセージアプリを立ち上げる。

まずは未読のメッセージがずらりと並ぶ。送信者は「石原浩二（2）」「ペヤング斉藤（5）」「いいじまみきこ（1）」「霞大工C1（16）」……カッコの中は未読の件数で、どれも怪しいものはない。

だがリストを下って未読ゼロ件の先頭に、異質なものを見つけた。

「あずにゃん」

《あやしいじょしがあらわれた！》

アイコンはバッチリ自撮りのコスプレ女子。これがさっき家にきた子だろうか。どれくらい加工された写真かわからないが、ピンク色のカツラをかぶっているキメ顔は結構可愛い。ちく、と胸が痛くなる。

同じ学科ってことは、いつもこんな子と一緒に授業を受けているのか。しかも最終送信日時は今日の13：48とかなり近い。普段から頻繁にやりとりをしているのかもしれない。疑心暗鬼に戸惑う手で「あずにゃん」をタッチする。

あずにゃん：熊よけの鈴、貸してくれてありがと！　おかげで熊さんと出会わなくて
　　済んだ！
あずにゃん：んで、レポート、いつ終わるの？　夜ぐらい合流できない？
ysk1120　：ごめん、無理。いま家に人が来てる
あずにゃん：誰？　彼女？
ysk1120　：うん
あずにゃん：彼女って地元にいるんじゃなかったっけ？　っていうか、彼女来てるの
　　にレポート書いてるの？
ysk1120　：そうだよ。なんでか知らんが突然来てくれた。今寝てる。早く書き終わ
　　らせたい…
あずにゃん：バ――――カ、のろけんなボケ！　勝手にやってろうらやま死ね!!

　それから他の男子が代筆したと思われる口調の罵詈雑言と、ドライブ先で撮られた紅一点とその他大勢たちの写真が何枚も添付されていた。どれもこれも楽しそうで、

文で綴っているほどの恨みはかけらも感じられない。

（そっか、さっき貸したのって……）

「熊よけの鈴」だったのか。あの女の子は「今から山に行く」とか言ってたし、山登りが好きな飯島ならかように珍しいアイテムを持っていたとしても不思議ではない。

そういえば、こっちに来る前に見た地域のニュースでも「山間部に熊出没」とあった。本当に遭遇する危険性があるから貸したんだろう。

いい仲間がいるんだな、と思わず笑ってしまった。無愛想で無口な彼は、意外にもこの地に馴染んでいるようだ。

スマホの電源ボタンを押して、画面をＯＦＦにする。なんかもう、大丈夫だ。大学の友達にまた離れ離れを心配されるかもしれないけど、「まぁちょっとね」ぐらいでサラッと流して、あとでこっそり甘えればいい。あんまりあっけらかんとしているとバカっぽく見えるから、一応不安がるフリだけして、ね。

明日も晴れたらお出かけして、飯島がちょこっとだけ映ってる写真を撮ってみよう。そんで高校時代のグループに「本場のラ・フランスおいしい」「芋煮なう」とかって匂わせ投稿をしてみようかな。

そんなことを企みながら、恵麻は自分のスマホに誕生日を入力して、ロックを解除してグループチャットを確認した。

《えまは　がさいれで　いいじまのきもちをしった!》

《ちょっとだけつよいこころを　てにいれた!》

LEICA

夏の思い出って、他の季節より多い気がする。

高校時代の勉強合宿とか、中学校の修学旅行とか（初夏だけど）、小学校時代の夏休みのこととか……いい思い出もちょっと胸が痛くなる思い出も、強く眩しい太陽に照らされて濃く焼き付けられているような。

そういえば、あたしの古い古い記憶の中にある光景も、夏の夜の出来事だった。

あのときもあたしは心細さに泣いていて——助けに来る誰かを求めていたんだ。

海辺のカフェの前に家族兼用の車を停める。大学一年の夏休みに教習所に通いだして、まだ若葉マークは取れないけれど、だいぶ運転も慣れてきた。

「いらっしゃいませー」

やる気のない声が店内にこだました。頼むのは「今日のコーヒー」って一番安いやつ。場所代にはたりないだろうけど、なるべくおとなしくしとくから、すみません今日も見逃してください。

今はまだ朝の八時だ。これからだいたい昼の十二時まで四時間ぐらい、時間がある。

今日も店の端のソファに腰掛けて、文庫本を開いた。

(さて、と……)

あたしはこの夏休みに入ってから、なんか本ばっか読んでる。

ジャンルはたくさん。恋愛小説から始まって、推理、ミステリー(なんでこのジャンル好きなひとって「ミステリ」って伸ばさないんだろう?)、エッセイ、ノンフィクション。このまえは一日で『嫌われる勇気』とかも読み終わった。

一番いいのは、二〇〇ページぐらいの文庫本。四時間ちょうどぐらいで一冊読める。だけど意外にこれぐらいの長さの本ってないみたいなんだけどね。

読書好きの人って不思議なもんで、「面白いのある?」って聞くと、必ずオススメを教えてくれるし、お願いしたらほぼ100%何かしら貸してくれる(汚されたりしたら嫌だって思わないのかな)。だから、結構リーズナブルに時間潰しができる。

今日は、姉が貸してくれたアガサ・クリスティーの『春にして君を離れ』を読むつもりだ。タイトルと表紙の写真が、とっても綺麗だ。

なんだか不思議な内容のお話を読み進める。ミステリ、でもないし、恋愛小説、でもないし、もちろんホラー小説でもない。

あえて言うなら「小説」。世の中に、ジャンル分けができないものって、まま存在する（たとえば、お好み焼きとか。あれって主食なのか、おやつなのか、議論の分かれるところだよね）。


「ふぁ……あー……」

思わずあくびが出た。今日はバイトのない日だから、本当はいつまででも寝坊してたっていいのかもしれない。

でも、そういう日も無理やり早起きすることで、なんとなく健康的なメンタルでいられる気がする。午前中は一日で一番頭が冴えてる時間とかいうしね。

ブブッとスマホが震えた。「おわった」たった四文字のメッセージが届いた。

今日は途中までしか読めそうにない。しおりを挟んで店を出ると、潮風と強い日差し、それと光を反射する白いコンクリートの壁に、思わず目をウッと細めた。

海の方から、Tシャツ短パンビーサン（夏の三点セット）の男子がのそのそと歩いてきた。脇にクリーム色のサーフボードを抱えている。

「おまたせ、行こっか」

……何度見ても、似合わなくて笑っちゃう。まさか地味でオタクな自分の彼氏が、サーファーになるとは予想してなかった（笑）

「外房（そとぼう）の民はイケてなくてもサーフィンやるんだよ。ほら、雪国の人がだいたいスキーできるのと一緒」

ぜんぜん違うと思うけど。でも奴が言うには、「夏ならウエットスーツもいらんし、交通費もあんまりかからないでしょ。ボードがあれば夏中あそべるんだから、リーズナブルな趣味だよ」とのこと。ちなみに、外房ってのは千葉県の太平洋側の地域のこと。あたしと、目下お付き合いしている彼氏・飯島がともに生まれ育った場所だ。

しかし、コスパで趣味を選ぶとは。……ってあたしの読書も似たようなもんか。

そう、あたしは彼がサーフィンをやってる間、時間を潰すためにカフェで本を読んでいるのだ。

オタク系だった飯島がなんかシャレオツなスポーツ始めちゃって、あそんでばっかだったあたしが真面目に読書してる。飯島って鈍くさいもんだとばっかり思ってたけど、「板っぱに乗る系は人並みにできるんだよ」なんてのたまっちゃって、冬にはスノボもやってるみたい。でもこれも、寒いの苦手だから一緒に行ったことない。

どこまで行っても交わらない趣味。そりゃ、一緒に楽しめたらいいな、って思うことも多いけど……

「今日は、何読んだの」

「アガサ・クリスティーのやつ」

「どうだった？」

「面白かったよ。まだ途中だけど、主人公がちょーカンチガイでイタくて面白い」

こんな不真面目な感想にも「そんな話じゃないでしょ」とか「ちゃんと読んでるの？」とかバカにしてこないところがこいつらしいと思う。ていうかあたしが日焼けしたくないの知ってて、一緒にサーフィンやろうとか無理に誘ってこないところが気楽でいい。

それぞれに好きなものがあって、大抵は離れてて、たまに重なって。それでいいんだと思う。それぐらいの距離がちょうどいい気がする。

車のうしろに短いサーフボード（ショート）を積み込むと、塩水でもっさもさになった髪の持ち主が言った。

「あ、今日はちょっとまた海のほう行こうよ。あとでなんかアイスおごってあげるから」

「いいけど、なんで？」

単純なあたしはあっさりモノに釣られた。

「父からカメラ借りたんだ。ちょっと、試してみたいんだよね」

あ、出た。こいつのもう一つの趣味「写真」。露出とかF値とか焦点距離とか、たまに聞くけどこれもさっぱり分からない。自分はスマホのカメラでじゅうぶんだし、それすら使いこなせてるかどうかってレベルだ。

「ふーん、それっていいやつなの？」

「うん。ライカだよ。ぶっちゃけ、宝の持ち腐れだと思うんだけど」

聞いたことないメーカー。どれくらいするのかな、って考えてると、飯島はいそいそと後部座席から黒いお弁当箱サイズのバッグを取り出した。

「せっかくだからさ、被写体になってよ。天気がいいから、いい写真が撮れるよ」

……そのつもりならそうと、前もって言ってくれればいいのに。こんな去年もののカットソーにショートパンツじゃなくて、この前買ったばっかりのワンピとか着てきたのに。飯島って、だいぶマシになってきたけど、やっぱりマメではないよなぁ。

そのことでちくっと文句をぶつけると、「ああ、今度からそうする」とめっちゃ素直に応じられた。

そんで飯島はあたしの顔をじっと見ると
「でも、北岡は何着てても可愛いよ」

だからさ、そういうこと真顔で言えるメンタル、なんなん？


車にギリ置いてあったSPF50＋・PA＋＋＋＋の日焼け止めを腕と首と脚にこれでもかと塗り込んで、顔にはUVカット機能付きのお粉をはたいて、麦わら帽子をかぶってレッツゴー。

しばらく歩道を歩いて、ヒルガオの絡むけものみちを抜けると、これでもかと輝く白い砂浜と大海原がお目見えした。

サーファーさんたちは沖の方にぽつぽつ見えるけど、砂浜はそこまで混雑してなくて、穴場スポットなんだろうなって勝手に思った。

「いーじまぁ」

「なに」

「予備のタオルある？　もってきた？」

車にあるよ、と返ってきたから、波打ち際までぱたぱた駆け寄って、履いてたマジックテープのサンダル（好きなブランドとＣｈａｃｏがコラボしたやつ）を脱いだ。

「あー、意外につめたい！」

なんだろう、海って不思議。行く前は濡れるのイヤだな、とか、紫外線強そうだな、とか思ってても、実際来ると入りたくなるし、やっぱテンション上がる。日焼け止めが流れるとかあんまり気にならなくなって、膝下近くの深さまでざぶざぶと進んでしまった。

「いい顔するね」

カメラののぞき穴（ファインダー？）に目をピッタリつけながら飯島が言った。サーフィンのときは、いつも眼鏡してない。特にいまは、ニヤニヤした表情のせいもあって、普段よりチャラく見える。

……実際ちょっと、チャラいっていうかかっこよくなってるのかも。大学の友達に写真見せたら、一年のときは「へー」みたいな反応だったけど、最近は「結構いいね」「羨ましい」的なこと言われるから。

そのことになんかイラッときて、中学時代の友達(くみこ)から教わった秘伝の変顔を作ってみた。美優とか珠里とかには「せっかくの顔が台無し」とかってまあまあ不評だったんだけど……

「いいねー、顔ヨガの天才あらわる！　顔面ダルシムか」

マッチョがポーズ決めたときのかけ声みたく意味不明な褒め言葉。これ以上チャラ男を喜ばせるのも癪(しゃく)なので、素にもどって半分だけ背中を向けた。

そういや久美子はまだこっちに帰ってこないな。きっと、むこう(広島)で彼氏とうまくやってて離れたくないんだろうな、って勝手にゲスいことを考えた。

絶え間ない波音の間に、かしゃかしゃとカメラからの音が聞こえる。同じ人間をずっと撮ってるのに、全然飽きないみたい。

「やっぱ夏はいいね」

すこし浅瀬にいる飯島が言った。ものすごくフンワリした意見。だけどめっちゃ分かる。

「いいよね。あたしも夏生まれだから、夏好きなんだ」

夏休みあるし誕生日あるし、暑い中で体動かしたあとお風呂に入るの気持ちいいし、そのあとのキンキンに冷えたジュースとか最高オブ最高。そのあとお腹壊すまでがセットだけどそれでも悔いなしってぐらいだ。ちなみに、飯島もあたしより二週間早いだけで、やっぱり夏生まれだ。

「そういや俺、七夕まつりとかも、小さい頃はすげー楽しみだったな」

あたしの地元・小琳でやってる、夏の一大イベントの「七夕まつり」。

昔遠い星から落っこちてきたっていう伝説のお姫様をお祝いするイベントで、駅前からちょっと離れたメイン会場まで、たくさん出店が並んで祭りの日は何十万人っていう人出になる。

飯島の実家は小琳の隣の宮谷ってところだけど、七夕まつりには何度か来ていたみたいだ。

「あたしもなんだかんだで毎年行ってるかも。さーっとたこ焼き買うだけの年もあるけど。なんかお祭りの雰囲気って好きなんだよね」

「わかる。屋台で食う冷やしきゅうりとか、なんであんなに美味いんだろうな」

うーん、冷やしきゅうりか……。好みシブいなぁ。飯島って、小さい頃からこんな感じだったのかな……

「あ、そういえば」

あたしの言葉に、飯島はカメラから顔を離してこちらを見た。

「保育園の年長……、いや、年中の頃だったかな。七夕まつり行ったとき、うっかりしてお姉ちゃんとかとはぐれちゃったんだよね。そしたら、近くにいた同い年ぐらいの男の子が『泣かないで』って言って買ったばかりのかき氷分けてくれたんだ」

「ふーん」と彼が首を傾げた。低い波がやってきて、自分の膝のところで跳ねて服を少しだけ濡らした。

確かまだお祖父ちゃんたちと一緒に暮らしてた頃だから、小学校に上がる前だ。でも年齢までは覚えてない。大きくなってから一度お姉ちゃんに「こんなことあったよね」って聞いてみたけど、「ごめんね、わからない」と謝られてしまった。

「……そのときから、結構ガッツいてたんだろうね。その子のおかげでなんか安心して、かき氷ほとんど食べちゃってて。で、そうこうしてるうちにお姉ちゃんが見つけてくれて、その男の子とはバイバイって言ってそのまま別れちゃった」

心細いところを助けてもらったのに、ちゃんとしたお礼すらできなかった。

もし今できるなら、何年ぶりのことだろうときちんと謝りたい。まさか……でもないとはかぎらない。確認するだけならタダだ。

「あれって、飯島だったりしないのかなってふと思った」

「そのときの写真とかは？」

「全然残ってない。でも、なんか似てた気がする」

本当はもうほとんど覚えてない。でも、おとなしくて、自分よりちょっと背が小さくて、優しい感じの男の子だった気がする。

飯島はゆっくり首を横に振った。

「いやー……、全然覚えてない」

「そっか……。そりゃそうだよね」

やっぱりそんな奇跡、なかったか。だいたいあの人ごみの中で、同じ場所にいたとしても会う確率なんて、リアルに万が一よりも低いかもしれない。

あーあ、馬鹿げたこと言っちゃった。自分で言いだしたことながら、ホントに恥ずかしくなってきて、かぶってた麦わら帽子で顔を隠した。

「北岡」

とんとん、と肘のあたりを突かれる。おそるおそる帽子をずらすと、いつのまにか横にいた飯島が笑ってた。カメラは首からぶら下げていた。

「そろそろ行こうか。お腹すいたでしょ」

「……あのさー」

思わず低い声が出たけど、飯島は「なに」と平然と聞いてきた。

「前から疑問だったんだけど、なんで名前で呼んでくれないの」

「え」

飯島がぴたっと固まった。このタイミングで、逆ギレちっくなのは分かってる。でもいい機会だから物申す。さすがに付き合って一年以上経つのに、名字で呼ぶのはよそよそしすぎるんでないかい。

自分だって、「飯島」って呼んでるけど。でも「変えてくれ」って言うならいつでも変えるつもりでいるからいいんだ。

飯島は急にしどろもどろになった。

「いや、なんか呼び名変えるのって、一回定着しちゃうと難しくて」

「でもさ、スマホだと『えま』じゃん。意味がわかんないんだけど」

スマホに送られてくるメッセージには「えまが終わったら電話する」「これえま好きそう」とかって書いてくる。あとゴニョゴニョのときも名前呼んでくるけど……って、これはちょっと例外か。

「だって『北岡』だと四文字入力しなきゃいけないけど、下の名前なら二文字だし」

「そんなの、予測変換で出せば一緒でしょ」

「あ、そうか。じゃ今度から予測……」

「しなくていいから。呼び方のほう変えてよ」

ほら、言ってごらん、と手を叩く。だけどずっとグズグズしてて、呼んでくれる兆しが見えない。あたしはますます意地になって「早く、早く」と急かした。

「それじゃさ、『えっちゃん』とかどう?」

(えっ、なにそれ)

飯島が呟いたのと同じタイミングで、「ざざーん」大きな波が遠くの背後で弾けた。近くにいなかったら聞こえなかったかもしれない。

「小さい頃のあだ名ってそんな感じじゃなかった? 『あっちゃん』とか『たっちゃん』とか。俺も『やっちゃん』だったし」

「たしかに、ちょっと懐かしい感じがするかも」

今日は子供の頃の話が多いな。また記憶を掘り返してみるけれど、そうやって呼ばれたのは、童謡の『サッちゃん』が流行ったときに何回か、だった気がする。

だからちょっと変わってるな、と思う。けど意外に可愛い呼び名かもしれない。何より、飯島が楽しそうに口にしてくれるのがいい。

「あり?」

大きく首を縦に振った。呼び名の件は、これにて一件落着だ。

波打ち際でサンダルを履いて、熱い砂浜を歩く。ざくざくとビーチサンダルで隣を歩く飯島が、ぼそっと呟いた。

「さっきの、昔会った男の子ってさ」

その話題、別に引っ張らなくていいんだけど。あたしは「うん？」となげやりに相槌を打った。

「やっぱ俺かもしれないな」

「……何言ってんの？」

どういうこと？　いきなり思い出したとか？　いやいや、だったら「かもしれない」なんて言わないか。

「さっき覚えてないって言ってなかったっけ？」

飯島の方を見ると、全然ふざけた感じでもなく、いつもどおりの真面目くさった顔をしていた。

「言ったけど……でも、忘れてるだけで、ホントに俺だったかもしれなくない？　可能性あるでしょ」

いやいや、どうだろう……。あたしもちょっとそうだったらいいなって思ってたけど、当の飯島が覚えてないのに『きっとそうだ』なんてさすがに思えないわけで……

「もしき……えっちゃんが泣いてたら、『元気の出るかき氷だよ』とかってはげましてあげたくなるだろうなって。俺だったらそうするだろうなって思ったんだよ」

（……ん？）

あたしは、変なところに引っかかってしまった。

なんかその『元気の出る〜』ってセリフ、どっかで聞いた。

いつ、誰が言ってたのか、よく思い出せない。でも似たようなことを言われた気がする。かき氷じゃなくて、別のもので……。何だっけ？　そんなに昔じゃない気がするんだけど……

「ねぇ、それ……」

振り返った途端に麦わら帽子が風に飛んだ。

あっ、と短く叫んでるうちに、帽子は風にのって高く舞い上がる。飯島がビーサン脱いで追いかけて、最後はジャンプして捕まえてくれた。

帽子を差し出してきたので受け取る。飯島の足の裏は赤くなってて、やけど寸前って感じだ。

「ごめん、足、熱くなかった？」

飯島はヘラっと笑った。

「大丈夫だろうと思ってたけど、夏の砂浜ナメちゃダメだな。俺もそういうサンダル欲しいな」

そうやって、あたしが気にしないように言ってくれるから、わけもなく嬉しかったりして。

……やっぱりさっきのセリフ、全然思い出せないし気のせいかもしれない。じゃなきゃ、昔会った男の子が言ってたんだろう。本当に飯島が、あのときの男の子だったりして。

振り返ると、砂浜に点々と自分たちの歩いてきた場所に足跡がついていた。やがて風が吹いて、波がさらって、その跡も消えていってしまう。けれど――

「えっちゃん、アイス、何食べたい？」

「そうだね、かき氷がいいな。今日はやっぱり、あたしがおごるね」

写真に残ってなくても、記憶がなくても。

今も昔も優しい君に、今日はせいいっぱいのありがとうを贈りたいんだ。

Nothing Matters

人生、楽あれば苦あり。

そうそういいことばかりは続かない。ものごとが順調に進むこともあれば、停滞することもある。時には痛いしっぺ返しを食らったりして。

とにかく、全てが永遠に上手く行き続けるということがない以上、それに見合った反動というものが必ずあるのだ。「若い時の苦労は買ってでもせよ」という言葉の通り、世の中の厳しさを知って、社会性を身につけるということは長い人生に於いて必要なことなのだろう。

殊に、「仕事の場」ではどんな職業であるにしろ、正規・非正規の違いはあるにしろ、幾ばくかの軋轢や困難は生じるものであり、そこを冷静かつ穏やかに割りきって乗り越えることが「プロ」として求められる一つの重要なファクターである。

……そんなことは分かりきってる、けど。

その日、恵麻はアルバイト先でちょっとしたトラブルに巻き込まれ、非常に理不尽な思いをした。客の一人である中年女性に、「釣り銭が間違っている」と指摘され、そんなことはないと否定したところ「自分を泥棒扱いするのか」と因縁をつけられたのだ。

結局、防犯カメラの動画を見直し、恵麻が正確に釣り銭を渡している場面がちゃんと映っていたため、こちらに非はないということで落ち着いた。だが、その後口汚い捨て台詞を吐かれ、非常に嫌な気分が残った。同僚や店長は、繁忙時だったということもあり恵麻にきちんとフォローをしてくれるような者もいなかった。

分かってる。世の中にはいろんな人がいるから、時には変な人に遭遇することもある。今回はたまたま自分がそれに当たってしまっただけ。いちいち気に病んでいたのでは気力も体力も持たない。それだけ、働いてお金をもらうというのは大変なことなのだ。特に自分は同じような業種で働いている者に比べ時給が高いのだから（本当に若干ではあるが）、その分のリスクというのは当然あるのだ。

でも、ね。それでもやっぱりヘコむんだ。傷つけられたら悔しくて。「なんで自分がそんな人間の怒りのはけ口にならなきゃいけないいんだ」って。帰り道のあいだも、悔やんでも悔やみきれない思いで、そのことばっかり考えていた。

むしゃくしゃして、どうしようもなくて、まっすぐ家には帰らず、途中でコンビニに寄ることに決めた。今日はもうあとのことなんかしらない。好きなおやつを片っ端から買って帰る。もう、やけ食いだ。

街灯に群がる羽虫のように、夜でも煌々（こうこう）とした光を放つコンビニエンスストアの青白い看板へと吸い寄せられる
よし、今日はお酒も飲んじゃうぞ、とこの前スーパーで好きな缶チューハイの季節限定のフレーバーが出ていたことを思い出していると、店に入る直前で音声通話の着信を知らせるビープ音が聞こえてきた。

「はい、もしもし」

通話に応じると、電話の向こうの相手は高くも低くもないいつものトーンで言った。

「お疲れー」

「あ……」

「いま家？」

そろそろかけてくる頃かも、とは予想していた。毎週末、これぐらいの時間に付き合っている飯島という男が生存確認のための連絡をしてくるのだ。

ただ、今日はいつもより若干早いようだが……。どういう態度で応じたらいいか、心の準備がきちんとできていなかった恵麻は、力のない口調でありのままを答えるしかなかった。

「いや、まだ……」

「そっか。じゃ、やっぱあとでかけなおすよ」

ブツっと切られそうになり、恵麻は慌てて声を上げた。

「あっ……ちょっ……」

「ん、なに」

思わず引き止めてしまったが、恵麻はそれきり口をつぐんでしまった。

さっきの出来事はいまだに心に重くのしかかっていて、飯島の声を聞いただけで縋りたい気持ちになってしまった。

だからもうちょっと繋がっていたいだけなのだが……。辛い気持ちをごまかしていつものように振る舞えるほど恵麻は強くなかった。

押し黙ったままコンビニの入り口に佇む恵麻のことを、出てきた客が奇異な目で見ていった。そんな彼女の耳元に、幾分ノイズがかった声が届く。

「どーした。えっちゃん、聞こえてる?」

「……」

「なんかした？」

優しくそう聞いてくれるから、心の弱い部分がぽろぽろと崩れだしそうになる。だけどそこは頑張って耐えなければ。

甘えてばっかりじゃダメだ。あんなDQNにいちゃもんつけられたぐらいで嘆いてたら自分の品位が下がるだけだ。心配ばっかりかけたくない。これぐらい我慢しなきゃ。

でも……

「あのさ……」

やっぱり少しぐらい、自分の弱さを見せたっていいだろうか。彼は口が堅いし、スルー能力は高いし、これまでも散々自分のダメなところを見せているから、カッコつけようとしたって今さらな気がする。「バイト先の愚痴」なんて聞かされたほうはつまらないし下手したら気分を害するような類のものだけど、「あーはいはい」で流してくれて全然いいから、今回だけはごめん吐き出させてほしい。

恵麻は必要以上に感傷的にならないよう、今日起こったことを彼女なりに冷静に話し出した。

だが、一部始終を伝え終わる頃には感情も声も昂(たかぶ)ってしまい、「なんであたしばっかりこんな目に遭うんだろう。昔からそう。もうこんな人生いやだ」と投げやりな台詞を吐くに至ってしまった。

すると、それを今まで控えめな相槌を打ちながら聞いていた相手は、少しの躊躇(ちゅうちょ)を感じさせる間ののち、いつもより嗄(しゃが)れた年寄りのそれを彷彿(ほうふつ)とさせる口調で言った。

「あんとんねー。気にすんな」

(えっ⁉)

予想していた反応のどれとも違う返しに恵麻は思わずブッと吹き出した。

「あ、意外にウケた」

満足そうに飯島が呟いた。

「あんとんねー」というのは「なんともない」が音便変化したと推測されるここいらの地域の方言で、転じて「大丈夫だ」という意味で使われる。

ただ、大概の地方の方言がそうだと思うが、主にそれを口にするのは年配の人間で、若者にとっては「意味は分かるけどあんまり使わない」というのが共通の認識だと思う。

飯島も恵麻と同じ地方の生まれではあるが、とりわけ彼はあんまり口数が多くないこともあり、あからさまな方言を喋っているのを聞いたことがなかった。

しかも、飯島はいま何個も県を隔てた土地で暮らしているというのに。自然と出てきた言葉ではないことは瞭然だ。

恵麻はマジメな話をしていたのに、まんまと乗せられてしまったことが悔しくて、それをごまかすように早口でまくし立てた。

「なに、いまの？　普段ぜんぜん方言とか使わないのに、なんでいきなり訛った？」

「わがんね。ただ、なんとなく思い出したから……」

そう呟く響きの端から、先ほどの訛りをまた思い出す。

うん、やっぱりおかしいし笑わずにはいられない。恵麻はもう一度こらえきれずに電話口でフフフと喉を鳴らした。

「まぁ、でもいいでしょ。過ぎたことだし忘れようよ。そのオバハンが、頭のおかしい人だったたってことで」

……なーんだ、ちゃんと話も聞いてたのか。

気難しい子だったら「茶化すな」って怒られてたところだぞ、と自分のノリのよさを持ち上げつつ、それでも先ほどまで地の底を這っていた感情が確実に上向いていることに恵麻自身も気がついていた。

「……俺、えっちゃんはいつも頑張っててえらいな、って思ってるよ」

……本当かなぁってつい聞きたくなる。

でも本心でもお世辞でもどっちでもいい。今の言葉で辛かった気持ちが冗談みたいに軽くなった。


恵麻は呪文を唱えるように、自分たちの周りでだけ通じる魔法の言葉を口にした。

「あんとんねー?」

「あんとんねーさ。元気だしてくったいよ」

再び彼が訛った。まるで本当に地元にいるおっちゃんみたいで、懐かしくて、言ってる人と何百㎞も離れているようには思えなかった。

おいそれとは会えない。でも、心はいつも寄り添っている。例え遠くにいても、言葉にすればすぐ近くにお互いを感じられる。

恵麻は電話を耳に押しつけたまま、コンビニの入り口からくるりと背を翻した。

やっぱりやけ食いはやめた。次に会うときのために、少しでも綺麗でいようと決めた。

おいしいやきもち

暑くもなく、寒くもない、とても過ごしやすい気候の晴れた秋の日だった。

「それじゃ、飯島は皮むき担当ね」

「わかった。まかせて」

今日の三年F組は、三・四時間目をぶち抜いて調理実習が行われていた。今回の課題はニンジンとコンニャクとゴボウの炊き込みご飯、それと鶏のから揚げだ。

理系で男子の多いF組では、男子が五つ、女子が二つの班に分けられた。男女混成の班だとほぼ女子が作業をしてしまうことから、性別で分けてあるらしい。

受験勉強真っ盛りのシーズンではあるが、たまにはこうした授業もいい。適度な息抜きになる。

普段包丁など握ったことのないような武骨な男子も、おっかない手つきでちまちまと生姜(しょうが)をみじん切りにしたり、慣れないながらも一生懸命ゴボウをささがきにしたりしていた。

……だが、悲しいかな、やる気が結果に結びつくとは必ずしも言えず。

「えっ……、まずっ！」

「ちょっ、これ、人に食わすってレベルじゃねーぞ！」

特別教室の一角から怒号が上がる。飯島靖貴らがいる一班のテーブルだった。

一班の炊き込みご飯は、どこでどう間違えたのか非常にしょっぱい味付けで、から揚げは途中で油に着火（ライトオンファイアー）し衣の大半が黒焦げ。

出来あがった品はとてもではないが食べられるようなものではなかった。

完成を見越して昼食を持ってこなかった男子たちの落胆はすさまじく、「一体誰のせいでこんなことに」と班内では一触即発のムードが漂い始めた。

その時だ。

「ねぇ、もしかして失敗しちゃったの？」

クラスに九人だけいる女子のうち、出席番号が遅い方の班の吉田という女の子がやってきた。コミュ力王の内田がそれに応じる。

「ああ……、ちょっとばかし錬成に失敗してな」

「そうなんだ。そしたらうちの班、作りすぎちゃったから、みんなで分けて食べて」

彼女は一度自分の班のテーブルに帰ると、たくさんのから揚げと、おにぎり状に固めた炊き込みご飯を乗せた大皿を持って一班のテーブルに戻ってきた。

突如鳴り響いた福音に、男子たちは突如目を輝かせそれらに群がった。

「う、うめぇ……！」

「これよこれ、俺たちが求めていたのは……！」

ガツガツと男子たちがかっこむ。入れ食い状態の釣り堀さながらの勢いだ。

食べるのに夢中で礼を忘れたことに気が付かない他の班員に代わって、靖貴はこっそりと吉田に伝えた。

「吉田さん、ありがと。これすごい美味しいよ」

「ホントに？　よかった」

吉田がほっとしたように目を細めた。釣られて靖貴も微笑む。

「……」

クラスメイト同士の、ほっこりするような助け合いの光景。その様子を、隣のテーブルから複雑な面持ちで眺めている女子が居ることには誰も気づかなかった。

その日の夜。

予備校の帰りの靖貴は、学校から35㎞離れた駅の改札で同じクラスの女子に会った。目立つ外見の、学内屈指のモテ女・北岡恵麻。学校では話したことがないのに、何故かここ数週この時間に北岡に出くわすのだが……。別にさほど迷惑でもないのでそこからはいつも一緒に電車に乗っている。

ただ、その日の北岡はあまり機嫌がよろしくなかった。普段からあまり愛想のいい方ではないが、今日は特に態度にトゲがある。

「空いてる席ないな。隣の車両いく?」

靖貴の問いかけに、北岡は目も合わせずに答えた。

「……めんどくさいからいい」

「あ、そう……」

触らぬ神に祟(たた)りなし、と話しかけるのを控えていると、出発して一駅ほど過ぎたところで北岡がようやく口を開いた。

「……今日、調理実習でさ」

え? と聞き返すと、「昼間にやったじゃん」とブスッとした声で言い返された。

「飯島の班、何があったの? なんかすごい大騒ぎしてたよね」

言われて思い出した靖貴は、北岡の感情を無駄に刺激しないよう短い言葉で返した。

「から揚げが炭になった。あとたぶん炊き込みご飯で砂糖と間違えて塩いれた」

おそらくだが、炊き込みご飯が殺人レベルでしょっぱかった理由は、砂糖と塩の取り違えだ。中学校のときも同じ失敗をやらかしている生徒がいたが、まさか自分たちが間違えるとは思っていなかった。

北岡は「そうなんだ」と低い声で言うと、同じトーンで付け加えた。

「それで吉田さんにご飯もらって、デレデレしてたんだね」

デレデレ……していたつもりは毛頭ないが。この子は自分をそこまで女子に飢えているとでも思っているのだろうか。

若干引っ掛かる言動ではあったが、いちいち突っかかるのもみっともない。靖貴はさらっと受け流した。

「うん？　ああ。余っちゃったみたいで。美味しかったよ。あの班、料理上手な子が集まってたんだね」

吉田らに提供してもらったご飯は、空腹だったことも手伝ってか、から揚げもおにぎりも涙がでそうなほど美味しかった。恵んでもらえて本当に良かった。

いま隣にいる北岡は出席番号が早いほうだから吉田とは違う班だったが、女子は横の連携が強い。とりあえず無難にクラスメイトの善行を褒め称えると、何故か彼女は再びふてくされてしまった。

「……炊き込みご飯とから揚げなら誰だって普通に作れるよ」

「あ、そうなの？　でもうちの班はまんまと失敗したけどな」

……なので「誰だって」とは言えない気がする。少なくとも、自分のような男子にとっては手際よくちゃっちゃと作れるような女子は尊敬の対象だ。

ちなみに声を掛けてきてくれた吉田は、どうも同じ班の安野のことを好いているようで、今回のこともその彼へのアピールの為という気がしなくもないのだが。

おとなしいタイプの吉田とさほど懇意にしていない北岡は、吉田の思惑を特に気づいていないようだ。あまりベラベラ言いふらすような話題でもないので、そこは内緒にしておいた。

「ていうか、あたしの方がたぶん上手く作れるもん」

何を意地になっているのか張り合う気まんまんの北岡の言葉に、靖貴は「プッ」と吹き出した。

「なに？」

「……いや、いまの言葉、ホントなのかなぁって」

北岡は見た目も派手で言動もいちいちキツい。どうにも細かい家庭的な作業などを好むようなタイプとは思えない。

思わず飛び出した靖貴の疑問に、北岡は顔色をサッと変えて抗議した。

「ちょっと、バカにしてんの⁉　うちお母さん忙しいから、毎日お姉ちゃんとご飯つくってるよ。そんで、掃除も洗濯も交代交代でやってるんだけど」

「へー、そうなんだ」

「うわー、何その言い方。超ムカつく」

（そんなこと言われてもなぁ……）

この子が家事をしていようがしてまいが自分には関係ないしな、と電車のつり革につかまりながら思った。

——その時はそう思った、けど。

「ご飯できたよ」

わかった、と答えると、靖貴はノートパソコンを一旦閉じた。普段は一緒に作ったりもするんだけど、今日はどうしても忙しくて炊事を手伝えなかった。急いでテーブルを片付けてスペースを開ける。

今日の夕飯のメインは若鶏のから揚げ。そしてご飯にはにんじんとあぶらあげ、ゴボウなどがあらかじめ味付けと共に炊いて入っている。それと添え物にはほうれん草のおひたしとなめこのみそ汁。久々に自分の住むアパートへと訪れた彼女が、「スーパーで適当に買ってきた」という材料で作ってくれた。

どこかで見たような献立。……これは、添え物を除けば高校時代に調理実習で作ったものとほぼ同じ内容だ。

あの日のことを思い出す。

何故北岡が、電車内でムキになったのか。当時はこの子と付き合うことになるなんて想像すらしていなかったから理解できなかったけれど、もしかしたらあれは吉田らに対し嫉妬していたのかもしれない。今になってそう思う。

そしてこの子の料理は確かに上手だった。から揚げは中まで火が通っていながらもパサつきが全くないし、炊き込みご飯は味が濃すぎず薄すぎず、適度に具が混ざっていてお代わりは必至だ。さすがに「自分の方が上手く作れる」と言い張るだけのことはある。

「……何笑ってんの」

口元の緩みを抑えきれないでいると、彼女が自分とおそろいの箸を止めて尋ねてきた。

「いや、ちょっと思い出し笑い」

靖貴の返答に、彼女はますます怪訝そうに整った眉を顰めた。

「思い出し笑いする人ってエロいんだよ」

……それは、否定できない。

あとであの時の失言を補ってなお余りあるほど甘やかしてあげよう。そんなことを想像してまだ上がったままの口角で「本当にうまいね」と呟いた。

あとがき

こんにちは、筏田かつらです。このたびは「君に恋をするなんて、ありえないはずだった　課外授業は終わらない」をお手にとっていただき本当にありがとうございます！

久々のシリーズ新刊ということで、実はかなり緊張しています……。

今回、あとがきのページを多めにとってもらいました。収録されているそれぞれのお話について、ライナーノーツ的な感じで解説をしていきますね。

（元）三年F組出席番号三十九番　吉田由希の証言

本編下巻（「そして、卒業」）「純情Clumsy Boy」の章の裏話です。

遊ぶところの多い都市部と違って、地方の中高生はカラオケとファミレスに集まりがち。

本編でもそうだったんですが、珠里ちゃんが飯島に対してやたら厳しいのは、「昔よく似た眼鏡男に意地悪されたから」という理由だったりする。

Walk Through the Rain

一年時の資料集の件について、恵麻側の事情が明かされています。

それにしてももうちょっと感じよく断ればいいのにねぇ。

制服Destiny

「そういえば靖貴たちが二年生のときってなにやってたんだろう?」と作者本人も思ったことがきっかけで出来たお話です。

この頃の靖貴は「他人からどう思われるか」が気になって仕方がなかったみたいですね。克也と田村はブレないなぁ。

飯島家の姉弟

「どっちのジュリエット」の件ですが、同じ女子が本編で「エマニュエル・ベアール似」とされていることから、おそらく雰囲気的にハッセーの方だと思われます。

美貴子姉ちゃんは、カタカナ語をよく使う。

Zipper

牧野由依さんの同名曲を聞いたとき「お菓子作ったり手をつないだりしたいって、恵麻みたいな女の子の歌だなぁ」と思ったことから、更に曲のイメージから話を膨らませて作りました。恵麻も案外妄想が激しいですね。

Yes, Emma OK?

編集さんから「久美子視点もあるといいな」というリクエストを受けて、思いついたお話です。

中学時代の恵麻は、部活には久美子などの友達がいたようですが、クラスではずいぶん浮いてたようです。部活引退後は辛かっただろうな……。

ぼくは恋愛ができない

編集さんから「木村くんの昔話なんてどうですか」という提案を受けてできたお話です。

当初は木村が一方的に女の子に迫られる展開にしようかと思ったのですが、おせっかいキャラを生かしたほうが面白くなるかな、と考え直し今回のような感じに。

柳井のような真面目で健気な女の子は好きです。書きながら「ああ……、柳井かわいそう……」と何度も胸が痛くなりました。久々にあんまり悩まず書き上がった短編です。

彼女が部屋で待ってるから

ここから四編は恵麻たちが大学生になったときのお話。

作中で恵麻が読んでいる「国語入試問題必勝法」をはじめ、「世界文学全集」「バールのようなもの」など、作者は清水義範先生の本が大好きです。

冒頭の「大学の友達との会食」については、拙著「赤くない糸で結ばれている」（角川文庫）内のお話で、他の女子視点として描かれています。

LEICA

他の短編もそうなんですが、やたらカメラだの写真だのが小道具で出てくるなぁ、やっさん、サーファーになるの巻。大学一年の夏休みに他の友達（おそらく中学の友達）に誘われてちょこちょこと始めて、このお話の時点で二年目という感じです。

Nothing Matters

方言萌えです。「～してくったいよ」も千葉南部の方言で「～してちょうだい」ぐらいの意味です。

飯島くん、大学では周りに影響されて「んだー」「風呂さいくべ」「ちょっとそこのキムワイプとってけろ」とか言ってるんでしょうね。

おいしいやきもち

作者の高校時代、調理実習において本当に砂糖と塩の取り違え事件がありました。(同じクラスの他の班です)
一瞬味見すれば避けられることなのにね……。何事も確認が大事。

今回番外編を一冊の本にまとめるに際し、シリーズを読み返し新しい発見をしたり、設定を細かく作り直したり、大変でしたが今までになく楽しい作業となりました。

読者さまにとっても、楽しい時間であればいいな、と願っております。

また、本の中でお会いしましょう！

筏田かつら

本書は書き下ろしです。

この物語はフィクションです。
作中に同一の名称があった場合も、
実在する人物、団体等とは一切関係ありません。

宝島社
文庫

君に恋をするなんて、ありえないはずだった 課外授業は終わらない
(きみにこいをするなんて、ありえないはずだった　かがいじゅぎょうはおわらない)

2021年8月19日　第1刷発行

著　者　筏田かつら
発行人　蓮見清一
発行所　株式会社 宝島社
〒102-8388　東京都千代田区一番町25番地
電話：営業 03(3234)4621／編集 03(3239)0599
https://tkj.jp

印刷・製本　株式会社廣済堂

本書の無断転載・複製を禁じます。
落丁・乱丁本はお取り替えいたします。
©Katsura Ikada 2021　Printed in Japan
ISBN 978-4-299-01960-8